LES MONDES D'EWILAN

LA FORÊT DES CAPTIFS

Pierre Bottero

RAGEOT

ISBN 978-2-7002-3302-5
ISSN 1772-5771

L'INSTITUTION

1

Forêt de Malaverse – Février.

Le garçon se plaqua au sol, le nez dans la boue, tentant désespérément de disparaître sous l'épaisse couche de feuilles mortes gorgées d'eau, toute sa volonté concentrée sur un seul objectif : devenir invisible. Inaudible. Inodore. C'était une question de vie ou de mort.

Non. Pas de vie ou de mort. Bien plus que ça.

Un froid glacial s'infiltrait au travers de ses vêtements trempés et la blessure à sa cuisse irradiait une douleur presque insupportable. Il se mit à grelotter, incapable de maîtriser les tremblements de ses membres, le claquement de ses dents.

Les pas se rapprochèrent sans qu'il parvienne à en localiser l'origine avec certitude. Si c'était un garde, même accompagné d'un chien, il avait une chance de s'en sortir.

Si c'était…

Il ferma les yeux, se concentrant sur son image à Elle. Pas l'image qui l'avait révolté quelques jours plus tôt quand il avait enfin réussi à l'apercevoir

– cet être décharné au regard éteint n'était pas la fille qu'il aimait – mais celle qui le hantait depuis le début et lui donnait la force de poursuivre. La force de survivre.

Il se concentra jusqu'à ce que plus rien n'existe que ses yeux immenses d'un violet intense… et, une fois encore, la magie opéra. Les tremblements s'espacèrent, la douleur reflua, les feuilles détrempées et les branches brisées sous lesquelles il s'abritait cessèrent de s'agiter, sa respiration s'apaisa.

Il était temps.

Un grognement sourd retentit à moins de dix mètres, qu'un ordre sec fit taire. Un chien et un garde ! Il ne s'agissait que d'un molosse de quatre-vingts kilos dressé à déchiqueter ses adversaires et d'un homme armé jusqu'aux dents prêt à tirer sur tout ce qui bougeait. Il avait de la chance !

Aussi silencieux qu'une écharpe de brume, il s'enfonça un peu plus dans l'humus, retint son souffle, ne fut plus qu'une chose sans vie perdue sous les frondaisons d'une forêt sombre, au milieu de la nuit. Au milieu de nulle part.

Malgré la lune gibbeuse, l'obscurité était profonde sous les arbres ; le garde ne le vit pas.

Après des jours et des jours passés à errer dans les bois, il avait fini par prendre leur odeur, une odeur de terre et de boue, une odeur de moisi et de champignons, une odeur indécelable ; le chien passa sans le flairer.

Salim se remit à respirer.

Lorsqu'il fut certain que le danger était passé, il se redressa en évitant de s'appuyer sur sa jambe blessée. Il écouta attentivement l'obscurité et, ne percevant que les bruits de la nuit, il passa à l'action. Il se glissa comme une ombre entre les troncs noirs de mousse, traversa la piste que surveillait le garde, puis se faufila dans un fouillis de buissons épineux avant d'atteindre la clôture.

La clôture ! Pourquoi ne s'était-il pas méfié la première fois qu'il l'avait aperçue ? Un grillage d'acier de plus de trois mètres de haut, sa base coulée dans le béton, son sommet recourbé vers l'intérieur et l'extérieur en un double crochet barbelé. Un moyen imparable d'empêcher les intrusions... et les évasions. Son existence présageait d'autres protections, des alarmes, des pièges. C'était évident, pourtant il avait oublié de réfléchir, oublié l'enseignement d'Ellana, oublié la simple prudence. Tout à sa joie de se sentir si proche d'Elle, il avait foncé tête baissée.

Il avait failli y perdre la vie.

La vague surgit de sa mémoire, le contraignant à faire une pause pour laisser à son cœur le temps de se calmer.

Souvenirs...

... Après avoir franchi le grillage grâce à un arbre qui, depuis, avait été abattu, il s'était approché du premier bâtiment. Il touchait au but lorsque son pied avait arraché un fil tendu dans l'obscurité. L'alarme avait déchiré la nuit, des projecteurs avaient illuminé la scène, des cris avaient retenti.

Il s'était enfui.

Une dizaine de gardes sur les talons, il avait bondi, saisi une branche basse providentielle, s'était hissé dans l'arbre. Le fil barbelé avait alors mordu sa cuisse. Profondément. Lorsqu'il avait atterri de l'autre côté de la clôture, il n'avait pu retenir un cri de douleur tandis qu'un liquide chaud se mettait à ruisseler le long de sa jambe. En boitillant, il s'était enfoncé dans la forêt, persuadé de se trouver hors de danger. Il se trompait.

Les gardes l'avaient pisté toute la nuit, équipés de lampes surpuissantes, de talkies-walkies, et aidés par des chiens, de véritables monstres. Il avait couru, grimpé, sauté, il s'était caché, terré, parfois à moins d'un mètre de ses poursuivants. Il les avait observés, la gorge nouée. Des hommes vêtus de noir, armés de fusils d'assaut, le visage fermé de soldats professionnels. Ou de tueurs à gages. Et pendant tout ce temps, son sang coulait.

Il avait profité d'une brève accalmie dans la traque pour panser sa blessure avec un morceau de tee-shirt, tressaillant lorsque ses doigts avaient palpé la largeur de la plaie, réprimant une plainte lorsqu'il avait remonté son pantalon. Il s'était enfui. Encore.

Ils n'avaient abandonné leur chasse qu'à l'aube, le laissant anéanti de fatigue et de peur au fond d'une combe, blotti derrière un éboulis. Il avait tremblé jusqu'à ce qu'il bascule brutalement dans un sommeil profond et sans rêves.

Il avait attendu quatre jours avant d'oser une nouvelle tentative. Quatre jours durant lesquels il ne s'était nourri que de la brassée de pommes volées dans une ferme proche de l'Institution. Quatre jours durant lesquels il avait prié pour que les gardes l'oublient et que sa blessure ne s'infecte pas.

Il l'avait examinée alors qu'il la nettoyait avec de l'eau de pluie recueillie au creux d'un rocher et sa vue lui avait donné la nausée. Artis Valpierre aurait guéri cette plaie en quelques secondes, un médecin l'aurait refermée avec une douzaine de points de suture avant de le gaver d'antibiotiques. Lui, Salim, ne disposait en guise de pansement que d'un bout de tee-shirt sale. Et comme unique médicament, il possédait la volonté surhumaine de libérer Ewilan.

C'est armé de cette volonté et d'une prudence redoublée qu'il s'était à nouveau lancé à l'assaut de l'Institution. Juché au sommet d'un arbre, il avait passé la journée entière à observer les rares allées et venues du personnel entre les bâtiments, à noter la position des gardes et les rondes qu'ils effectuaient, à mémoriser les numéros d'immatriculation des véhicules qui franchissaient l'impressionnant portail de fer forgé sous l'œil impassible des caméras de surveillance. Il avait calculé le champ d'action de ces caméras, estimé la taille du terrain qu'elles couvraient et fini par trouver la faille : une étroite bande qui partait d'un des piliers de pierre de taille et qu'il jugeait hors d'atteinte des cellules électroniques.

La nuit venue, s'efforçant d'ignorer la douleur dans sa jambe, il avait escaladé la grille, s'était coulé de l'autre côté et, une fois dans la place, s'était figé. Le silence et l'absence de mouvements l'avaient convaincu que son intrusion était, pour l'instant, passée inaperçue. Tous ses sens en alerte, il avait progressé vers le bâtiment le plus proche. Il avait évité le filin d'acier tendu au ras du sol, contourné un poteau suspect, décelé in extremis une caméra dissimulée dans un massif, s'était plusieurs fois jeté à terre, avait rampé, avant d'atteindre son but.

La bâtisse était ancienne, une sorte de château de campagne aux murs de brique rouge recouverts de lierre, dont les hautes fenêtres en ogive tachaient de flaques de lumière jaune la nuit environnante.

Salim s'était glissé jusqu'à la plus proche fenêtre. Il avait découvert un immense salon meublé avec faste, un parquet verni, des tableaux, des tentures mais aucune présence humaine. Il avait longé le mur, se baissant pour passer sous les autres fenêtres du salon et avait gagné une baie qui s'ouvrait sur une nouvelle pièce. Deux hommes en costume sombre étaient installés de part et d'autre d'un imposant bureau d'acajou. Ils étaient engagés dans une discussion animée, sans que leurs voix franchissent le survitrage.

Après avoir attendu quelques minutes une improbable information, Salim s'apprêtait à poursuivre son exploration lorsque la porte du bureau s'était ouverte. Un homme en blouse blanche – un infirmier ? – était entré, poussant un fauteuil roulant sur lequel était prostrée une jeune fille.

Salim avait tressailli, son cœur s'était mis à cogner dans sa poitrine comme une machine prise de folie, un cri était monté jusqu'à ses lèvres, contenu à grand-peine.

Ewilan !

C'était Ewilan, son âme le hurlait.

Il l'aurait reconnue la nuit, dans un tunnel, les yeux bandés. Sans hésitation.

C'était Ewilan et pourtant, ce n'était pas elle.

Son crâne rasé, blafard, sa peau translucide, son visage émacié n'avaient pas réussi à tromper Salim. L'absence de réaction de son amie, en revanche, avait fait vaciller ses certitudes. Le regard éteint d'Ewilan et le vide complet qui y régnait les avaient réduites en miettes.

Il avait agrippé le rebord de la fenêtre, contracté ses muscles, prêt à bondir. Il lui était impossible d'assister sans bouger à la scène. Il devait intervenir, fracasser la vitre, se battre, tuer si nécessaire. Sauver Ewilan...

Dans un coin obscur du bureau, une ombre s'était alors déplacée. Les trois hommes s'étaient figés et, sur le visage de l'infirmier, Salim avait lu un dégoût angoissé, une terreur difficilement contrôlée. Un mouvement fluide et la silhouette s'était dessinée avec davantage de précision, haute de plus de deux mètres, drapée dans une tunique aux reflets changeants...

Non! C'était impossible!

Comme s'ils avaient deviné sa présence, deux yeux immenses aux pupilles verticales s'étaient tournés dans sa direction.

Salim s'était enfui.

Une semaine s'était écoulée depuis cette nuit-là. Une semaine d'anxiété, passée à ressasser ce qu'il avait vu ou cru voir. Une semaine à sentir ses forces s'amenuiser sous l'effet de la faim et de sa blessure qui, si elle ne s'infectait pas, refusait de cicatriser. Une semaine à se terrer, à trembler, mais aussi à échafauder les plans les plus fous, à réfléchir à un moyen de pénétrer dans l'Institution puisque de nouvelles caméras, installées autour du portail, lui interdisaient dorénavant cet accès. Une semaine de détresse et de désespoir.

L'attente s'était achevée la veille lorsqu'il avait découvert une voiture stationnée au bord de la route, capot relevé, un homme seul penché sur le moteur. Salim s'était approché sans bruit, si près qu'il aurait pu toucher l'inconnu en tendant le bras. La trousse d'outils reposait sur le sol, ouverte. Un don du ciel. Il s'était baissé lentement, les secondes s'égrenant, interminables, son cœur battant si fort qu'une partie de son esprit avait trouvé incroyable que l'homme ne l'entende pas. Il avait fini par atteindre son but. Son butin serré dans son poing, il avait disparu dans la forêt…

Salim prit une profonde inspiration.
Il avait conscience de jouer sa dernière carte.
Et ce n'était même pas un atout.
L'acier trempé de la pince coupante mordit la première maille du grillage.

2

Al-Jeit – Un mois plus tôt.

– **D**is, ma vieille, tu ne préférerais pas passer tes vacances aux Seychelles ? Ou à Disneyland ?

– Non, Salim. Avant qu'il ne s'embarque avec nos parents pour la traversée de la mer des Brumes, j'ai promis à Mathieu de rendre visite aux Boulanger. Ensuite ce sera culture, culture et culture. Je suis une des seules dessinatrices de l'Empire à pouvoir effectuer le grand pas, les professeurs de l'Académie ont sollicité mon aide pour collecter des informations sur l'art, et particulièrement la danse, dans l'autre monde. Je ne vois pas comment j'aurais pu leur refuser ce coup de main, d'autant que je piaffe d'impatience à l'idée d'assister à une bonne dizaine de spectacles et de visiter autant de bibliothèques.

– Mademoiselle piaffe d'impatience ! ironisa Salim. À l'idée de s'user les fesses sur des fauteuils de théâtre et les baskets dans des endroits où on fusille les pauvres gars qui ont le malheur d'ouvrir la bouche ?

Ewilan leva les yeux au ciel.

– Depuis la première fois où j'ai vu un Ts'lich, j'ai l'impression d'avoir passé mon temps à te proposer d'abandonner. Tu peux rester ici, si tu préfères !

– Alors que j'ai eu tant de difficultés à convaincre Ellana qu'un apprenti marchombre avait droit à des congés ? Tu rêves, ma vieille ! Tu ne te débarrasseras pas aussi facilement de moi.

– C'est bien ce que je craignais, soupira-t-elle avec un regard qui démentait ses paroles. On y va ?

Sans attendre de réponse, elle ramassa son sac et, après avoir resserré autour de son cou l'écharpe de laine qui la protégeait du froid piquant, elle se dirigea vers la sortie de l'esplanade bordée de gigantesques statues d'améthyste où ils s'étaient donné rendez-vous après cinq mois de séparation. Ils avaient pris l'habitude de s'y rejoindre avant qu'Ellana n'entraîne Salim au loin et, les rares fois où cela était possible, ils y passaient des heures à parler de leurs aventures et à imaginer leur avenir.

Depuis qu'elle avait retrouvé ses parents et que la situation en Gwendalavir s'était stabilisée, Ewilan, loin de se reposer, avait adopté un rythme de vie trépidant. Elle partageait son temps entre la découverte de son monde et un cursus scolaire mouvementé, qui lui permettait de rattraper son retard sur les jeunes Alaviriens dans une école d'enseignement général, tout en suivant parallèlement à l'Académie d'Al-Jeit des cours réservés à des élèves bien plus âgés qu'elle. Le pouvoir de ses professeurs était loin d'égaler le sien, toutefois leur expérience était grande et ils avaient beaucoup à lui enseigner sur les finesses de l'Art du Dessin.

Salim, lié par le serment prononcé dans les Dentelles Vives, avait suivi Ellana, chargée de le former pour qu'il devienne un marchombre. Il avait beau adorer la jeune femme et la voie qu'elle lui révélait, il aimait désespérément Ewilan et n'était véritablement heureux qu'en sa présence. Malgré ses jérémiades et ses boutades, il ne l'aurait laissée repartir seule pour rien au monde.

Ils traversèrent une partie d'Al-Jeit en se racontant ce qu'ils avaient vécu depuis leur séparation. Grâce au pouvoir d'Ewilan, ils étaient restés en contact mais une conversation télépathique, pour intime qu'elle fût, ne valait pas un échange de vive voix. Ewilan parla de sa vie à Al-Jeit, des relations qu'elle avait nouées avec les étudiants de l'Académie et des amitiés qui s'esquissaient. Salim lui confia son bonheur d'être considéré par Ellana comme un élève prometteur et les progrès réguliers qu'il effectuait. Ils évoquèrent ensuite les destins de leurs amis qui, après avoir croisé les leurs, avaient pris des cours différents.

Maître Duom avait retrouvé Al-Vor et son échoppe d'analyste où il continuait d'officier en tant que grand spécialiste du dessin, sa notoriété déjà importante encore amplifiée par ses derniers exploits.

Bjorn, dont la vie était rythmée par d'éternelles quêtes romantiques, avait été pris au piège de la beauté et du charisme d'Élicia. Autoproclamé chevalier servant, il s'était embarqué avec elle, Altan et

Mathieu pour une expédition requise par l'Empereur au-delà de la mer des Brumes.

Ce dernier ne croyait pas vraiment aux assertions d'Éléa Ril' Morienval prétendant que des hommes vivaient en dehors de l'Empire, mais il ne pouvait se contenter de les ignorer. Il avait donc dépêché une troupe à l'est avec pour mission d'explorer les confins de Gwendalavir.

Des Alaviriens poussés par le goût de l'aventure avaient à plusieurs reprises traversé la mer des Brumes en quête de richesses, de célébrité ou simplement de sensations. Ceux qui étaient revenus vivants de leur périple avaient évoqué un désert sans fin, le désert Ourou, peuplé de créatures sanguinaires et recelant une multitude de pièges mortels. Utiliser l'Art du Dessin y était malaisé et communiquer à distance impossible. De l'avis général, seuls les plateaux d'Astariul en Gwendalavir étaient aussi dangereux.

Ewilan avait assisté au départ de ses parents et de son frère la gorge nouée par l'inquiétude et la tristesse. Les perdre alors qu'elle ne les avait retrouvés que quelques semaines plus tôt lui paraissait le comble de l'injustice mais la raison d'État prévalait sur ses besoins affectifs et elle avait dû s'incliner.

Edwin et Siam avaient rallié la Citadelle afin de se joindre aux Frontaliers qui achevaient de pacifier le Nord de l'Empire en éradiquant les survivants des hordes raïs qui avaient failli détruire Gwendalavir.

Ellana, amoureuse, avait suivi Edwin. Elle supportait toutefois mal de rester en place plus de quelques jours et avait vite quitté les Marches du Nord, entraînant Salim à travers un périple alavirien mouvementé.

– Et Maniel ? interrogea le garçon alors qu'ils empruntaient une des nombreuses passerelles surplombant les rues d'Al-Jeit.

– Il a beaucoup hésité, répondit Ewilan. Bjorn le pressait de se joindre à l'expédition, l'Empereur lui proposait le commandement d'une légion, le seigneur Saï Hil' Muran souhaitait le voir revenir à Al-Vor avec un grade d'officier, sans parler des dizaines d'autres propositions qu'il a reçues. Maniel est célèbre, tu sais. Comme nous tous d'ailleurs.

– Et alors, qu'a-t-il choisi ?

– Homme-lige de la famille Gil' Sayan !

– C'est-à-dire ?

– Il a prêté le grand serment et il est resté avec nous, à la maison. Il s'occupe de la sécurité, des relations avec le palais, il veille à ce que mes parents travaillent dans la sérénité et...

– Un super larbin en quelque sorte !

Ewilan s'arrêta net et planta ses yeux violets étincelants de colère dans ceux de Salim.

– Maniel est un ami ! l'apostropha-t-elle. Pas un larbin, ni même un serviteur ! Le grand serment est réservé aux êtres d'exception ; il est source de prestige, c'est vrai, mais également de nombreux risques et requiert une totale abnégation. Homme-lige est une fonction honorable. Maniel l'a adoptée de son plein gré, par goût et par respect pour ma famille. En l'insultant, tu nous insultes tous !

Salim fit un pas en arrière, les bras levés.

– Pardon ! s'exclama-t-il. Mille fois pardon ! Je me répands et je me repens. Je ne suis qu'une triple buse, que dis-je, un quadruple vautour, un quintuple circaète, un sextuple…

– C'est bon, Salim, le coupa Ewilan en souriant malgré elle. Élève d'Ellana ou pas, tu n'as pas changé. Ta langue continue à fonctionner plus vite que ta cervelle…

– Cela fait partie de mon charme, toutes mes admiratrices l'affirment !

Ewilan éclata de rire avant de lui envoyer une bourrade moqueuse. Réconciliés, ils reprirent leur route. Salim ignorait ce que représentait le grand serment. À la réaction de son amie, il avait toutefois compris que c'était important et il se promit de l'interroger. Plus tard…

Ils passèrent devant l'étal d'un sculpteur de branches affairé à faire croître les pousses d'un jeune rougeoyeur et, sans se concerter, s'arrêtèrent pour l'observer.

L'homme, grand et maigre, âgé d'une cinquantaine d'années, caressait le tronc de l'arbrisseau en psalmodiant une litanie aux sonorités rauques. Sous ses doigts, l'écorce vibrait, se fendillait, des rejets s'étiraient, d'autres se flétrissaient, le rougeoyeur entier se transformait. Ewilan avait déjà assisté au travail d'un sculpteur de branches et savait que l'Art du Dessin n'intervenait en rien dans sa création.

Elle ne put toutefois s'empêcher de se glisser dans l'Imagination, tentant une nouvelle fois de percevoir comment l'homme procédait.

La puissance de son Don continuait à grandir, pourtant elle découvrait sans cesse des gens dotés de pouvoirs, certes bien moins impressionnants que le sien, mais qu'elle ne parvenait pas à comprendre. Les sculpteurs de branches en faisaient partie, comme les navigateurs, les rêveurs ou les attrapeurs de songes et tous ceux qu'elle ne connaissait pas encore.

Une fois de plus, elle échoua. L'homme sculptait le rougeoyeur, le transformant en générateur de réflexion ou de fantaisie, en objet de méditation, en effigie, en simple sculpture peut-être, en fonction de la commande qu'il avait reçue et elle se trouvait incapable de saisir le fonctionnement de sa technique.

Elle quitta l'Imagination à la fois déçue et satisfaite. Ce dernier sentiment l'emporta toutefois rapidement. Que tant de choses continuent à lui échapper contrebalançait l'impression de toute-puissance qu'elle éprouvait, parfois, en sentant son pouvoir palpiter en elle. Et la rassurait...

Elle prit la main de Salim et l'entraîna à sa suite, débordante de vitalité.

Débordante de bonheur.

3

Paris – Février.

Christian Dauron titubait sur le trottoir désert, s'appuyant parfois contre un mur ou un réverbère pour retrouver un équilibre provisoire et tenter de se repérer. Il avait fêté la promotion d'un collègue de bureau et, afin d'oublier que le collègue en question, de vingt ans son cadet, lui soufflait sous le nez le poste qu'il convoitait depuis des mois, il avait bu.

Trop.

Il buvait toujours trop, sa femme le lui reprochait sans cesse, mais ce soir-là, il avait largement dépassé ses limites, s'imbibant d'alcool jusqu'à en oublier son nom. Façon de parler, Dauron n'était pas un patronyme qu'on oubliait facilement.

L'endroit où il avait garé sa voiture était en revanche beaucoup plus flou dans sa mémoire. À vrai dire il ne s'en souvenait absolument pas, n'était même pas certain d'être venu en voiture !

Il errait dans ce dédale de ruelles depuis plus d'une heure, maudissant l'alcool un peu, la pluie beaucoup, ce traître de Joël Iméo énormément.

La nuit était sombre, la lumière dispensée par l'éclairage public bien chiche et, comme il était affligé d'une vision nocturne déplorable, ses chances de retrouver sa Twingo s'amenuisaient de minute en minute.

Dépité, pestant contre son infortune, Christian Dauron s'adossa à une haute poubelle métallique qui dégorgeait son contenu nauséabond. Il allait devoir téléphoner à sa femme, inventer une histoire qu'elle ne croirait pas, s'expliquer, courber l'échine sous ses critiques acerbes, promettre de s'amender…

Un bruit dans son dos le fit tressaillir. Un bruit de pas. Christian Dauron se retourna en soupirant de soulagement. Il se rappelait le nom de la rue où avait eu lieu la fête en l'honneur de Joël Iméo, cet hypocrite prétentieux. Si un type sympa le remettait sur la bonne voie, il pourrait reprendre ses recherches, retrouver sa voiture…

L'inconnu qui lui faisait face était grand. Vraiment très grand. Déconcerté par cette stature, vaguement inquiet, Christian Dauron fronça les sourcils, tentant vainement de percer l'obscurité. Drapé dans un vêtement ample, l'homme devant lui ne bougeait pas. Christian Dauron avait la bouche pâteuse – l'eau dans son pastis ne devait pas être de bonne qualité – il l'ouvrit à deux reprises avant qu'une phrase ne se décide à sortir.

– Scusez-moi, j'voudrais… heu… ma Twingo…

Tout se déroula alors très vite.

La cape de l'inconnu s'écarta, une lame brilla. Christian Dauron écarquilla les yeux, voulut fuir, une douleur intense dans la poitrine lui coupa le souffle. Un liquide chaud jaillit de son ventre, ruissela sur ses cuisses.

Ses jambes vacillèrent, puis lâchèrent, privées de toute force. Il crut qu'il s'effondrait, pourtant il ne tomba pas, cloué à la poubelle comme un vulgaire papillon par la lame de son assassin. Celui-ci approcha son visage de sa proie et Christian Dauron sentit un hurlement de terreur monter de ses entrailles dévastées. Il ne cria pas.

Il était mort.

Le festin pouvait commencer.

4

Al-Jeit – Un mois plus tôt.

Les appartements d'Ewilan et de sa famille occupaient le sommet d'une tour de jade et de verre. On y accédait par une succession de passerelles arachnéennes qui dominaient une bonne partie de la capitale et débouchaient sur une plate-forme pavée d'une mosaïque céruléenne.

Une profusion de massifs débordait d'immenses jarres de cristal tandis que des rosiers, dépourvus de fleurs à cette période de l'année, s'élançaient à l'assaut des murs. Un jet d'eau jaillissait du sol en une courbe parfaite pour retomber plus loin dans une vasque de lapis-lazuli où ondulaient quelques carpes indolentes.

La demeure de la famille Gil' Sayan était également celle de Salim. Élicia et Altan le lui avaient plusieurs fois affirmé. Exilé en Gwendalavir, séparé de sa belle-mère et de ses cousins, Salim considérait désormais les parents d'Ewilan comme les siens. Il était chez lui, il en avait conscience mais, à chacune de ses visites, la beauté du lieu lui coupait le souffle.

Ewilan dessina l'ouverture de la porte et ils pénétrèrent dans la tour. Maniel vint à leur rencontre. Salim, qui ne l'avait pas vu depuis plusieurs mois, ne put retenir un mouvement de surprise. Il était difficile voire impossible de s'habituer à la stature de Maniel si on ne le côtoyait pas quotidiennement. L'homme-lige était un titan mesurant plus de deux mètres, pesant un bon quintal et demi. Les muscles de ses épaules roulaient puissamment tandis que ceux de ses jambes et de ses bras menaçaient de faire craquer ses vêtements. Il attrapa Salim et le serra contre lui.

– Je suis heureux de te revoir, bonhomme !

– Moi aussi, Maniel, moi aussi, mais je le serais encore davantage si tu ne brisais que la moitié de mes côtes...

Le géant éclata de rire et reposa le garçon au sol avant de le contempler, l'air soucieux.

– Ellana ne te nourrit pas assez, décréta-t-il, tu ressembles à une souris écorchée !

– À une quoi ?

– À une souris écorchée et sourde !

Salim resta coi. Maniel n'avait jamais pratiqué ce genre d'humour. C'était l'apanage de Bjorn. Maniel était, en dehors des combats, un homme réservé, presque timide.

Était.

L'ancien soldat avait changé. Il avait gagné en assurance, comblant l'insidieux complexe généré par sa condition de simple garde. Il irradiait désormais une aura de confiance à l'image de sa carrure et Salim comprit ce que pouvait représenter pour lui le statut d'homme-lige. Maniel était trop simple pour s'épanouir dans la fonction d'officier supérieur ou dans celle de commandant de légion. En revanche, la situation offerte par les parents d'Ewilan lui avait permis de se révéler, de montrer ce qu'il valait réellement. Maniel était un homme heureux.

Salim fit part de ses impressions à Ewilan alors qu'il déposait ses affaires dans la chambre qui lui était réservée. La jeune fille acquiesça en souriant, trop fine pour lui rappeler les mots durs qu'il avait prononcés un peu plus tôt.

Ils évoquèrent ensuite le voyage qui les attendait et qu'ils avaient décidé d'entreprendre le soir même pour ne rien perdre des quinze jours de relâche accordés par l'Académie d'Al-Jeit. La seule difficulté concernait la visite qu'ils devaient rendre à la famille Boulanger. Ewilan et Salim étaient toujours recherchés par la police, convaincue de leur enlèvement. Il fallait donc qu'ils se montrent prudents en se déplaçant dans une ville où ils risquaient à tout moment d'être reconnus. Ils devaient heureusement n'y passer qu'une nuit.

La suite du périple ne leur poserait aucun problème. Ils avaient de l'argent et des papiers d'identité dessinés par Ewilan, il ne leur restait qu'à profiter de leurs vacances.

Alors que la lune se levait au-dessus d'Al-Jeit, ils partagèrent leur repas avec Maniel. Devant un poisson-sabre farci qui dégageait un appétissant fumet et une salade de baies jaunes glacées, l'homme-lige s'inquiéta des précautions qu'ils avaient prises pour leur voyage et leur posa une série de questions pertinentes sur les villes qu'ils prévoyaient de visiter. Comme la grande majorité des Alaviriens, il n'avait jamais quitté Gwendalavir et ne possédait sur l'autre monde que quelques bribes de connaissance. Il se montra toutefois d'une telle précision dans ses demandes et d'une telle justesse dans ses conseils que Salim s'interrogea. Avait-il, depuis le début de leurs aventures, sous-estimé Maniel ou le fait de devenir homme-lige avait-il réellement transformé l'ancien soldat?

À l'entendre s'exprimer de manière posée, la voix chargée d'une nouvelle assurance, Salim opta pour cette dernière hypothèse et se promit de sonder Ewilan, dès que possible, sur la métamorphose de Maniel.

Le repas achevé, chargés l'un et l'autre d'un simple petit sac à dos, ils se placèrent au milieu du salon. Ewilan prit la main de Salim.

– Ne te fais pas de souci, lança-t-elle à Maniel, j'essaierai de te contacter mais je ne suis pas certaine d'en avoir la capacité. Personne n'a jamais réussi à communiquer d'un monde à l'autre. À bientôt.

Le colosse leva la main en geste d'adieu alors qu'elle se glissait dans l'Imagination pour dessiner son pas sur le côté.

Un dernier sourire.

Ils disparurent.

Salim et Ewilan se matérialisèrent derrière un arbre dans le square où ils avaient l'habitude de manger des glaces avant qu'Ewilan ne découvre son pouvoir. Salim s'ébroua, un grand sourire fendant son visage.

– Tu es une vraie sorcière, ma vieille! Chaque fois que tu nous trimballes comme ça, j'ai l'impression de…

– Chut!

Ewilan lui avait saisi le bras et observait les alentours, sur le qui-vive.

– Qu'est-ce qu'il y a? murmura Salim. Tu…

Une détonation étouffée retentit à moins de cinq mètres d'eux. Ewilan porta la main à son cou et s'abattit comme une masse. Déjà les buissons s'écartaient. Trois hommes vêtus de noir surgirent de l'obscurité.

Salim bondit.

Le premier coup le cueillit au creux de l'estomac, le second derrière la nuque. Une vague sombre le submergea, il perdit connaissance.

– *Salim! Salim!*

Le garçon gémit, porta la main à son front.

– *Salim! Réponds-moi, je t'en supplie!*

Il se retourna péniblement, s'assit alors qu'une douleur atroce déferlait sous son crâne, lui tirant un gémissement.

Ewilan!

Les images de l'agression l'assaillirent, lui faisant oublier sa souffrance. Le coup de feu, les hommes en noir, Ewilan s'effondrant... Il scruta l'obscurité, redoutant de découvrir son corps mais, à son grand soulagement, il ne vit rien. Il avait dû imaginer son geste de protection, elle n'avait pas été touchée. Pas au cou... C'était impossible...

Il se leva à grand-peine et tituba vers un banc sur lequel il se laissa tomber. Ils avaient été attaqués... on avait enlevé Ewilan... Un maelström de pensées chaotiques agitait son esprit, il éprouvait les plus grandes difficultés à se concentrer, à réfléchir. Sa tête tournait.

Ses paupières se fermèrent malgré lui.

– *Salim, réponds-moi.*

Il ouvrit les yeux.

– Ewilan ?

– *Salim ! Tu vas bien ? Tu n'es pas blessé ?*

La voix de son amie résonnait sous son crâne. Elle lui parlait. Elle était donc sauve.

– Non, ça va. J'ai reçu un coup sur la tête et j'ai perdu connaissance, c'est tout. Où es-tu ?

– *Dans une voiture. Il y a trois hommes avec moi. Ceux qui nous ont attaqués.*

– Tire-toi, Ewilan ! Fais un pas sur le côté !

– *J'ai essayé, Salim, je n'y parviens pas !*

– Mais...

– *Je n'arrive plus à utiliser l'Imagination. Lorsqu'ils nous sont tombés dessus, j'ai reçu une fléchette dans le cou. Elle devait contenir une drogue.*

– Pourtant tu me parles.

– *C'est la seule chose que je peux faire et cela requiert toutes mes forces.*

– Il faut avertir la police !

– *Non, Salim. Ces hommes appartiennent à la police ou du moins travaillent pour un organisme officiel. Je les ai écoutés alors qu'ils me croyaient inconsciente. C'est moi qu'ils voulaient, c'était leur mission. Ils ont prévu de rejoindre ce qu'ils appellent l'Institution, je les ai entendus parler de la forêt de Malaverse, ce n'est pas très... Aïe !*

– Que se passe-t-il ?

– *Une piqûre ! L'un d'eux vient de m'injecter quelque chose dans les veines. Ça brûle, Salim ! Ça fait mal...*

– Ewilan... je...

– *Je sens le produit envahir mon corps. Bon sang, c'est affreux... comme du feu liquide. Salim ?*

– Oui ?

– *Je te perds, Salim. Je ne parviens plus à me concentrer... je...*

– Ewilan !

Salim avait hurlé, son cri se perdit dans la nuit.

Qui resta silencieuse.

Comme Ewilan.

5

Forêt de Malaverse – Février.

Un dernier maillon céda. L'ouverture dans le grillage se révélait désormais suffisante pour que Salim se glisse de l'autre côté. Il rangea la pince coupante dans la poche de son blouson et franchit la clôture, conscient que la clarté de la lune le desservait mais qu'il lui était impossible d'attendre davantage.

Il avait déjà perdu trop de temps.

D'abord à essayer de contacter les Boulanger puis, lorsqu'il avait admis qu'ils étaient absents, à dénicher cette forêt sur une carte et à s'y rendre. À pied puisque c'était Ewilan qui détenait tout leur argent.

Lorsque sa fatigue et son inquiétude avaient fait taire ses scrupules, il avait volé un scooter. Il avait abandonné l'engin, vidé de son carburant, une trentaine de kilomètres plus loin et avait poursuivi sa route à vélo jusqu'à ce qu'une crevaison l'oblige de nouveau à marcher.

À ce moment-là toutefois, il avait atteint la forêt de Malaverse et estimait toucher au but.

Sauf qu'il avait fallu dénicher une Institution qu'aucun panneau n'indiquait et que personne, dans la région, ne semblait connaître.

La chance, cette amie versatile, avait fini par lui sourire. Affamé, il reluquait la devanture d'une boulangerie dans un village perdu au milieu des bois lorsqu'il avait entendu le patron indiquer l'adresse à son jeune livreur. Il avait réussi in extremis à se glisser dans la camionnette...

Il calcula que deux bonnes semaines, peut-être davantage, s'étaient écoulées depuis qu'ils avaient quitté Gwendalavir. Quelqu'un allait sans doute s'inquiéter, les secourir...

À peine cette idée eut-elle surgi dans son esprit qu'il s'empressa de la repousser. À supposer que Maniel donne l'alerte, il ne connaissait aucun Alavirien en mesure d'effectuer le grand pas. Ensuite si lui, Salim, comptait sur une aide extérieure, il allait perdre en efficacité. Et il avait besoin de l'intégralité de ses moyens !

Échaudé par ses précédents échecs, il avait pris le temps, caché dans les bois, d'étudier l'Institution et en connaissait tout ce qu'un observateur extérieur attentif pouvait en connaître.

Plusieurs hectares de terrain plantés de pelouse et de rares bosquets, une allée principale bordée de platanes centenaires desservant une bâtisse ancienne et élégante – celle où il avait aperçu Ewilan – flanquée de deux ailes basses en béton. L'une d'elles, de taille réduite, semblait abriter les gardes, leurs chiens et l'intendance de l'Institution. L'autre, beaucoup plus vaste, ne comportait qu'une porte, surveillée en permanence par deux hommes en faction.

Durant son guet, Salim n'avait vu qu'une dizaine de personnes emprunter cette porte, toutes vêtues de blouses blanches.

Prudent, il exclut d'explorer la petite structure, mais hésita longuement entre la bâtisse de brique rouge et la construction gardée. Si dans l'une il avait aperçu Ewilan, l'autre ressemblait davantage à une geôle ou un hôpital et le fauteuil de son amie était poussé par un infirmier…

Il n'était plus temps de tergiverser. Salim se décida pour la vieille bâtisse qui lui paraissait plus accessible. Si ses recherches demeuraient infructueuses et s'il ne se faisait pas repérer, il explorerait le reste de l'Institution.

Il se glissa comme un serpent à travers l'étendue herbeuse qui le séparait de son but, se jetant à terre dès qu'il percevait le moindre bruit, la plus infime agitation. Il restait alors immobile un long moment, ne se relevant qu'une fois certain que la voie était libre. Sa jambe le faisait souffrir mais il ignorait la douleur, la traitant par le mépris puisqu'il ne pouvait la faire disparaître.

Il avait décidé qu'il ressortirait de cet endroit avec Ewilan ou qu'il ne ressortirait pas !

Atteindre le mur couvert de lierre lui prit presque une heure. Une heure épuisante. Lorsque enfin il se faufila sous un buisson d'ornement, au pied de la façade, juste sous une fenêtre, il respira plus librement. L'enseignement d'Ellana lui revint à la mémoire sous forme de sentences :

« Un voleur ignorant passe par la porte, un voleur confirmé passe par la fenêtre, un voleur astucieux passe par la cheminée. Un marchombre passe. »

Très bien. Sauf qu'il n'était pas encore marchombre. Il s'en fallait même de deux ans et demi avant qu'il ne puisse prétendre au titre de novice. Le visage de son initiatrice s'imposa à lui.

« L'art du marchombre est fluidité. Qu'il vole, marche, grimpe ou tue, son geste n'est qu'harmonie. Une seule partition jouée sans interruption du début à la fin, un souffle de vie irrésistible car parfait. »

Salim se leva. La pièce derrière la fenêtre était sombre, apparemment un salon vide. Au fil des ans, les battants à la française avaient pris un jeu important. Il glissa deux doigts par l'interstice, pinça la crémone qu'il réussit à actionner. Une brève secousse et la fenêtre s'entrebâilla. Il enjamba l'appui et se faufila dans la bâtisse.

Adoptant la démarche glissante enseignée par Ellana, il gagna la porte sans perdre de temps à détailler le mobilier ou la décoration. Il rejoignit très vite un large couloir dont le sol était recouvert d'un épais tapis qui étouffait ses pas.

La maison était parfaitement silencieuse. Salim sentit au plus profond de lui-même qu'Ewilan ne s'y trouvait pas.

Pourtant, résolu à ne négliger aucune piste, il poursuivit son exploration. Il parcourut ainsi douze pièces, toutes désertes, des salons pour la plupart faiblement éclairés par la lumière tamisée des appliques de sécurité.

Salim eut un serrement au cœur lorsqu'il pénétra dans le bureau où il avait aperçu Ewilan et...

Non, il avait dû être victime d'une hallucination. C'était impossible !

Il redoubla de vigilance, bien qu'il sût qu'il n'avait aucune chance de s'en sortir si son cauchemar se concrétisait.

Des papiers étaient empilés sur la table. Il y jeta un coup d'œil. Des chiffres, des colonnes, des calculs... aucun renseignement susceptible de le guider. Il nota néanmoins l'en-tête des formulaires : « L'Institution, étude des PP (PES et PK), laboratoire attaché aux ministères de la Recherche et de l'Intérieur. » Son ultime espoir qu'il s'agisse d'un kidnapping organisé par une bande de malfrats s'effondrait. Ewilan le lui avait annoncé lors de leur dernier échange, il avait eu de la peine à la croire, il devait maintenant s'y résigner. Elle était retenue contre son gré par une organisation gouvernementale !

À l'extrémité du couloir, un hall immense pavé de marbre donnait sur l'extérieur par une imposante porte d'entrée tandis qu'à l'opposé, un escalier permettait d'accéder en deux paliers à l'étage. Salim posait le pied sur la première marche lorsque des pas se firent entendre, descendant dans sa direction. Il se jeta en arrière et, après un coup d'œil affolé autour de lui, choisit de se dissimuler dans l'ombre de l'escalier.

Quelqu'un arrivait, quelqu'un qui ne jugeait pas nécessaire d'allumer pour se déplacer la nuit, quelqu'un dont la démarche, juste au-dessus de lui, résonnait, assurée et furtive à la fois, quelqu'un que Salim avait peur de reconnaître...

Les pas parvinrent à son niveau, s'engagèrent dans le hall en direction de la porte d'entrée. Le front emperlé par l'angoisse, Salim risqua un coup d'œil.

Il contint à grand-peine un soupir de soulagement en apercevant une femme vêtue d'un tailleur strict, et non la dangereuse créature qu'il avait redouté de découvrir. Alors qu'elle ouvrait la porte et sortait sur le perron, une particularité dans sa façon de se déplacer, un imperceptible déhanchement, glaça Salim.

Elle pivota légèrement pour refermer derrière elle, la lune éclaira son profil, le doute devint impossible.

Éléa Ril' Morienval !

6

L'Institution – Janvier.

La douleur occasionnée par l'injection finit par s'estomper. Ewilan reprit lentement ses esprits. Elle avait eu l'impression que ses veines transportaient du métal en fusion, qu'elle s'embrasait de l'intérieur. Outre cette atroce souffrance, la drogue avait déconnecté ses muscles de sa volonté, ce qui était préférable sans quoi elle se serait déchiquetée avec ses ongles et ses dents tant elle avait mal.

Dès qu'elle sentit ses forces revenir, elle tenta de se glisser dans l'Imagination. Elle ne se faisait guère d'illusions. Un peu plus tôt, elle avait réussi à contacter Salim parce que le lien qui les unissait était si fort que la communication requérait un minimum de pouvoir. Elle avait été incapable de dessiner.

Cette fois-ci, ce fut pire.

Impossible de parler à Salim, impossible même de s'approcher des Spires. Elle était comme amputée d'une partie de son esprit.

Cette découverte l'accabla. Elle se trouvait en danger, certes, mais son malaise était plus profond.

L'Art du Dessin était indissociable de sa vie, de son être le plus intime. Elle préférait presque la douleur qu'elle venait d'endurer au vide qui résonnait actuellement dans sa tête.

Elle se tourna vers l'homme assis à sa gauche. Ni lui ni les deux autres installés à l'avant de la voiture ne lui avaient adressé la moindre parole.

– Qui êtes-vous ? murmura-t-elle, étonnée par l'effort que lui demandait le simple fait d'ouvrir la bouche. Que me voulez-vous ?

L'homme sursauta avant de la contempler, stupéfait. Il ne s'attendait apparemment pas à ce qu'elle bouge, encore moins à ce qu'elle parle. Son comparse, aussi surpris que lui, se retourna et hocha la tête.

Une aiguille brilla puis se planta dans son avant-bras. Ewilan voulut hurler, déjà la vague de feu la renversait.

Juste avant qu'elle n'atteigne son cœur, une miséricordieuse inconscience l'emporta.

Elle ouvrit les yeux alors que la voiture s'engageait dans une allée bordée de platanes conduisant à une élégante bâtisse de brique rouge aux murs couverts de lierre.

Le véhicule bifurqua avant de l'atteindre et se gara devant une construction basse beaucoup plus récente, dont l'imposante porte métallique était gardée par deux hommes vêtus d'un uniforme sombre.

– Pouvez-vous marcher ?

La première phrase de ses ravisseurs.

Ewilan se garda bien de répondre. Ses jambes étaient de coton, ses bras sans force et le souvenir du liquide brûlant dans ses veines l'emplissait de terreur. Elle n'avait en outre aucune raison de faciliter la tâche à ces individus.

Celui qui avait effectué le trajet à ses côtés sortit du véhicule et s'adressa à l'un des gardes qui disparut à l'intérieur. Ewilan envisagea pendant une folle seconde de s'enfuir en courant. Elle dut renoncer à cette idée. L'aurait-on laissée seule, elle aurait été incapable d'effectuer trois pas sans s'effondrer. Et elle n'était pas seule !

Le garde revint bientôt, accompagné d'un homme en blouse blanche poussant un fauteuil roulant qu'il rangea près de la voiture. Il ouvrit la portière, se saisit d'Ewilan comme si elle ne pesait rien et l'installa sur le fauteuil où il l'attacha avec des sangles.

La jeune fille flottait dans un état second. Elle avait conscience de ce qui se déroulait autour d'elle mais y assistait en simple spectatrice, enregistrant la scène mais ne s'y sentant pas vraiment impliquée. Elle était toutefois assez lucide pour attribuer la responsabilité de son état à la drogue qui saturait certainement son organisme. Ses yeux se posèrent sur une plaque de laiton brillant fixée contre le mur, près de la porte.

LABORATOIRE
DE RECHERCHES
EN PP (PES et PK)

Où diable avait-elle déjà vu ces initiales et que signifiaient-elles ? Elle avait du mal à mobiliser ses facultés. Sa mémoire avait des ratés, elle éprouvait l'envie irrésistible de s'abandonner, de ne plus réfléchir.

Elle lutta, son indomptable volonté combattant son engourdissement jusqu'à ce que le souvenir s'impose enfin.

PK ! Un sigle utilisé par un de ses auteurs favoris dans un roman de science-fiction qu'elle avait dévoré. PK : Psychokinésie ! Pouvoir de la pensée sur la matière.

Le reste coulait de source. Laboratoire de recherches en phénomènes paranormaux, ces phénomènes se divisant en Perceptions Extra Sensorielles et Psychokinésie.

La raison d'Ewilan vacilla. Depuis son premier pas sur le côté, elle s'était appliquée à dissocier son existence alavirienne de la réalité de l'autre monde. L'Art du Dessin était inconnu ici, les pouvoirs mentaux relevaient de la littérature fantastique, pas d'un laboratoire gouvernemental. C'était du moins ce qu'elle croyait jusqu'à aujourd'hui.

L'existence d'un endroit comme l'Institution signifiait que des gens haut placés prenaient au sérieux les capacités inconnues du cerveau humain. Et qu'ils tenaient au secret ! Cela faisait quelques mois seulement qu'elle avait quitté ce monde mais, du temps où elle y vivait, elle n'avait jamais lu le moindre article, ni vu le moindre reportage traitant de ce sujet. Il devait s'agir d'un projet confidentiel dont les journalistes étaient soigneusement écartés. Cela n'expliquait pas qu'on l'ait enlevée. Il existait en France des lois qui…

Qui avait révélé son Don à l'Institution ?

Qui était au courant qu'elle allait revenir et que son pas sur le côté la conduirait dans le parc à cet instant précis de la journée ?

Que savaient les hommes qui l'avaient enlevée de l'Art du Dessin et de Gwendalavir ?

À quel type de recherches se livrait-on dans ce laboratoire ?

Au bénéfice de qui ?

Les questions s'entrechoquaient dans son esprit alors que l'individu en blanc poussait son fauteuil à l'intérieur de la bâtisse.

Un large couloir aux murs et au sol carrelés de blanc, un hall immense, un bureau derrière lequel deux femmes s'affairaient sans daigner lever la tête, de nouveau un couloir, des hommes vêtus de blouses se croisant sans un mot, des intersections, puis une porte métallique. L'ensemble, baignant dans une lumière crue légèrement bleutée, évoquait irrésistiblement un hôpital… sauf qu'aucun lit, aucun malade n'était visible.

L'homme qu'elle considérait désormais comme un infirmier pianota sur les touches d'un clavier mural, la porte d'acier coulissa, révélant un ascenseur. Ils s'y engagèrent.

Les boutons indiquaient quatre niveaux sous le rez-de-chaussée du laboratoire. L'infirmier appuya sur le quatrième.

Ewilan avait renoncé à chercher des réponses. Les questions étaient trop nombreuses, trop complexes, faisaient intervenir trop de paramètres et surtout, elle était fatiguée.

Si fatiguée…

Elle observa son gardien. S'il était vraiment infirmier, peut-être se montrerait-il compatissant…

– Suis-je prisonnière ?

Pas de réponse. Aucun signe, même, qu'elle ait été entendue.

– Vous n'avez pas le droit de me retenir contre ma volonté !

Sa voix vacillait, elle n'était guère plus qu'un murmure mais, dans le silence confiné de l'ascenseur, l'homme l'avait obligatoirement perçue.

Il ne broncha pas.

La porte métallique coulissa à nouveau. Ewilan se tut. Le spectacle qui s'offrait à elle la laissait sans voix.

7

Paris – Février.

Richard Gozère contempla ses biceps avec un sourire de profonde satisfaction. Il avait soulevé de la fonte pendant trois heures, obéissant à la lettre au planning de construction structurale mis au point par son professeur de bioculturisme. Il avait ensuite pris une douche d'abord chaude puis glacée, les yeux rivés sur sa montre chronomètre étanche jusqu'à trois cents mètres, tâchant de battre son record personnel de résistance au froid.

Il l'avait pulvérisé, s'en était réjoui et admirait maintenant le résultat de dix-huit mois d'entraînement intensif. Un corps parfait, puissamment bâti, des deltoïdes avantageux, des tablettes de chocolat en lieu et place des abdominaux, des jambes glabres de lutteur grec, des pectoraux saillants… Peut-être, pour se montrer parfaitement honnête, avait-il un léger effort à fournir sur la densité du jumeau externe droit mais rien de grave ou de disgracieux.

Richard Gozère, en toute objectivité, se trouvait beau. Merveilleusement beau et fort.

Il s'estimait heureux d'avoir arrêté le karaté. En six ans de sport de combat, jamais il n'avait ressenti la plénitude qui l'envahissait lorsqu'il s'allongeait sur un banc de musculation, ni le bonheur qu'il éprouvait en se détaillant dans un miroir.

Presque à regret, il enfila son survêtement, lissa ses cheveux encore humides, saisit son sac de sport et quitta le club. Il ferma à clef derrière lui puisque, comme chaque soir, il était le dernier à sortir et s'engagea sur le trottoir.

Il habitait à moins de dix minutes à pied, trajet qu'il effectuait d'un bon pas, le torse bombé au cas, improbable, où quelqu'un l'aurait regardé. Il n'y avait jamais personne à cette heure-là, mais Richard Gozère ne désespérait pas que des admirateurs se mettent un jour à l'épier à tous les coins de rue.

Il était presque arrivé lorsqu'un sifflement l'arrêta. Pris dans ses rêves de gloire, il faillit saluer, se retint de justesse, sa méfiance naturelle triomphant de son ego surdimensionné. Le sifflement en question ne lui avait pas paru particulièrement chaleureux et, si Richard Gozère détestait une chose par-dessus tout, c'était bien qu'on se moque de lui.

Il sonda du regard la ruelle sombre qui s'enfonçait sur sa droite et fronça les sourcils.

Une silhouette se tenait debout dans un renfoncement, le fixant avec arrogance. Peu importait qu'il soit impossible, à cette distance, de discerner la moindre expression sur son visage, le karatéka en Richard Gozère décida que l'inconnu était un ennemi potentiel. Le sifflement retentit à nouveau.

Moqueur.

Richard Gozère n'hésita pas, il pénétra dans la ruelle.

– T'as un problème avec la vie ? lança-t-il finement.

L'autre ne répondit pas.

Richard Gozère déposa son sac et s'avança jusqu'à l'inconnu.

– Je te parle, pauvre taré ! insista-t-il. Alors tu me réponds ou je te dégomme la figure à coups de pompe.

Léger sifflement, presque un souffle, mais indubitablement ironique. Richard Gozère sentit la rage l'envahir. Il n'allait pas laisser un abruti, même aussi grand que celui-ci, se payer sa tête sans réagir. Il ferma les doigts, pivota sur ses hanches et frappa.

De toute sa puissance.

Oie-Zuki. Coup de poing horizontal, poignet dans l'alignement du bras, phalanges raidies. Dévastateur !

Il y eut un claquement sec, un sentiment de froid. Richard Gozère contempla stupidement son avant-bras sectionné à la hauteur du coude, un flot de sang jaillissant du moignon.

– Mais… que… hoqueta-t-il.

Une lame blanche s'enfonça sous son sternum, remonta en fracassant côtes et plexus solaire avant de ressortir en faisant exploser son visage.

Richard Gozère cessa d'être beau.

Ce n'était pas important.

Il était mort.

Le festin pouvait commencer.

8

L'Institution – Janvier.

Au centre d'une salle immense, une machine aussi monstrueuse que futuriste étalait ses pupitres lumineux, ses rampes de diodes et ses multiples écrans de contrôle autour de sphères d'acier tournoyant dans des cages de verre.

Un fouillis de câbles s'entremêlaient au pied de la structure tandis que des gaines brillantes rejoignaient le plafond dans lequel elles s'enfonçaient.

Quatre bras métalliques énormes sortaient du haut de l'appareil, s'élevant jusqu'à frôler les rampes de tubes qui éclairaient la pièce, avant de s'incliner vers le sol. La machine ronronnait comme un monstre assoupi, révélant par sa complexité une science de pointe. Ce n'était pourtant pas elle qui avait pétrifié Ewilan. Chacun des bras métalliques s'achevait par un disque brillant d'où jaillissait un cône de lumière violette qui venait s'écraser sur les dalles blanches du carrelage.

Au centre de chaque flaque de lumière, un enfant, nu, le corps bardé d'électrodes, défiait les lois connues de la physique moderne.

L'enfant le plus proche d'Ewilan était une fillette de quatre ans environ, assise en tailleur… mais à un mètre du sol. Sans aucun soutien apparent ! Les bras ballants, la tête penchée sur le côté, le regard éteint, elle ne bougeait pas. N'eussent été les mouvements de sa cage thoracique, on aurait pu la croire morte.

À sa gauche, un garçon de son âge, le crâne rasé, était allongé sur le dos, les bras en croix. Des spasmes agitaient régulièrement ses membres et, à chaque convulsion, une flamme jaillissait de la paume de ses mains tournées vers le plafond sans que sa peau présente le moindre signe de brûlure.

À la droite de la fillette, un enfant beaucoup plus jeune, presque un bébé, était également couché sur le dos. Un appareil avait été disposé au-dessus de sa tête. Des balles colorées s'en échappaient à intervalles irréguliers mais, avant qu'elles ne heurtent son visage, une force invisible faisait dévier leur trajectoire. Un bras télescopique les récupérait alors qu'elles roulaient au sol et rechargeait la machine. Le bébé gémissait doucement.

Le dernier enfant était attaché. Âgé d'une huitaine d'années, c'était le seul à paraître éveillé. Assis, les jambes remontées contre la poitrine, les bras enroulés autour de ses genoux, il était maintenu immobile par des liens de plastique. Une machine, similaire à celle qui se déployait au-dessus du bébé, était placée près de lui. Une trappe à sa base s'ouvrait par intermittence et un rat en sortait. Une bête impressionnante qui devait peser presque un kilo.

L'animal, méfiant, humait l'air, jetait un coup d'œil circulaire et, invariablement, s'approchait du jeune garçon. Celui-ci poussait alors un cri craintif et le rat, comme frappé par une massue immatérielle, s'effondrait sur le côté, inconscient ou mort. Un bras télescopique sortait de la machine, le saisissait et le ramenait dans ses entrailles.

Passé le premier instant de surprise, une vague d'indignation souleva Ewilan. Ces enfants, le corps criblé de capteurs, étaient exploités, torturés, mis au service d'expériences dont les fonctions lui parurent évidentes : analyser, disséquer, comprendre leur pouvoir, et peu importait qu'ils soient relégués au rang de cobayes, que leur statut d'êtres humains soit foulé aux pieds.

L'indignation se transforma en colère et, avec la colère, une force nouvelle se diffusa dans son corps. La drogue qui coulait dans ses veines se sublima en adrénaline ; Ewilan serra les poings.

Elle tourna la tête vers l'infirmier, s'aperçut qu'il l'observait avec attention, comprit qu'il commençait à l'étudier comme la machine étudiait les enfants. Cette prise de conscience, loin de l'accabler, décupla sa rage. Un brutal sursaut et les sangles qui l'emprisonnaient se détendirent. L'infirmier, sans se départir de son calme, sortit un pistolet à injection de sa poche. Il l'approcha du bras d'Ewilan.

Trop tard !

Le voile qui la maintenait loin des Spires se déchira.

Elle se glissa dans l'Imagination.

Un sifflement excédé s'éleva. L'infirmier, horrifié, lâcha le serpent qui avait remplacé le pistolet dans son poing, hésita une fraction de seconde, esquissa un geste de fuite puis se figea. Sa blouse, ses vêtements, ses chaussures même, s'étaient mués en acier, le clouant au sol, l'empêchant presque de respirer, complètement de bouger. Il ouvrait la bouche pour hurler lorsqu'un bâillon se matérialisa entre ses dents, finissant de le mettre hors jeu.

Ewilan détourna son attention de lui. La pièce était certainement sous la surveillance de caméras, des renforts allaient arriver. Il y avait urgence.

Elle voulut se propulser plus haut dans les Spires afin de dessiner un pas sur le côté mais comprit très vite qu'elle en était incapable. Elle n'avait pas entièrement récupéré. Il lui fallait trouver autre chose.

Ses liens devinrent fumée. Elle se leva. Elle dut se cramponner au dossier de son fauteuil pour ne pas s'effondrer, sa vision s'obscurcit, ses jambes flageolèrent, pourtant elle tint bon. Elle fit deux pas hésitants vers la porte de l'ascenseur restée ouverte à quelques mètres d'elle tandis que l'infirmier roulait des yeux impuissants et terrorisés.

Elle avait presque atteint son but lorsqu'un bruit de course la fit se retourner. Quatre hommes vêtus de noir fonçaient dans sa direction. Elle replongea dans l'Imagination.

Une cage métallique sortit du sol et se verrouilla avec un claquement sec, emprisonnant les gardes. Leur réaction fut instantanée. Dans un ensemble parfait, ils tirèrent les armes qu'ils portaient au côté, passèrent leurs bras entre les barreaux et firent feu.

Une volée de dards fusa vers Ewilan... et se fracassa sur la vitre blindée apparue devant elle.

La porte de l'ascenseur était en train de se refermer. Une traverse d'acier bascula dans la réalité, bloquant le mécanisme et permettant à Ewilan de se glisser dans la cabine. Son cœur battait la chamade, elle éprouvait d'immenses difficultés à conserver son équilibre, mais sa volonté intacte la soutenait plus efficacement que ne l'aurait fait une épaule amie.

La traverse disparut, la porte se referma avec un chuintement pneumatique, Ewilan appuya sur le bouton du rez-de-chaussée. Elle mit à profit le bref trajet pour retrouver son souffle et se préparer à la suite des événements. Elle ne doutait pas d'être attendue par un comité d'accueil nombreux et décidé. Il lui fallait prendre l'avantage.

Passer à l'attaque.

Un discret tintement annonça l'arrêt de l'ascenseur. La porte coulissa. Ewilan avait investi l'Imagination. Un ouragan jailli de son esprit s'engouffra dans le couloir, fracassant les plantes vertes et projetant contre les murs les gardes placés en embuscade. La tempête ne dura qu'un court instant mais aucun ne se releva.

Ewilan quitta la cabine. Se sachant loin d'être sauvée, elle maudissait son corps si pesant, si fatigué et rageait de sentir son pouvoir toujours limité. Elle aurait voulu courir, elle ne put que claudiquer vers la sortie. D'autres hommes arrivaient par des couloirs perpendiculaires, ils butèrent contre des murs de pierre qui leur interdisaient le passage. Ewilan progressait toujours.

Elle atteignit le grand hall. Des gardes l'attendaient, tenant en laisse des dogues énormes. Ils étaient nombreux, trop nombreux. Ewilan regroupa ses dernières forces et dessina.

Un tunnel de verre apparut dans lequel elle s'engagea alors que la salle, soudain, se remplissait d'eau. En quelques secondes, il n'y eut plus d'air ailleurs que dans son tunnel. Les gardes submergés gesticulaient, les yeux écarquillés de terreur, frappant de leurs poings désespérés le verre incassable qui la protégeait pendant que les molosses se noyaient, leur gueule de tueurs en quête d'un oxygène introuvable.

Ewilan avait verrouillé ses pensées. Elle refusait de voir ces hommes et ces animaux agoniser. Sa volonté tout entière était focalisée sur la sortie qui se rapprochait. Plus que dix mètres... Cinq... Deux...

Le tunnel de verre explosa. Disparut. L'eau se volatilisa, les gardes s'effondrèrent, leurs poumons avides retrouvant la vie en même temps que l'air.

Un dessin !

Un dessin avait fait voler le sien en éclats.

Ewilan serra les mâchoires. Tout n'était pas perdu. Elle pouvait encore...

Une corde se matérialisa au ras du sol, cingla ses chevilles. Une autre s'enroula autour de sa poitrine. Ewilan perdit l'équilibre et s'écroula. Le choc lui coupa le souffle. Des points noirs dansèrent devant ses yeux tandis que de nouveaux gardes surgissaient dans le hall.

Une silhouette se dressa au-dessus d'elle.

Une femme.

Une femme vêtue d'un tailleur strict, les yeux emplis d'une haine effrayante.

Une femme qu'Ewilan avait espéré ne jamais retrouver ailleurs que dans ses pires cauchemars.

Elle se lança dans l'Imagination, un coup de pied la cueillit au creux de l'estomac, lui faisant, sous la douleur, réintégrer la réalité.

– Éléa Ril' Morienval! cracha-t-elle. Tu n'es qu'une...

Un autre coup de pied assené dans le ventre la fit taire. La Sentinelle félonne tendit la main vers un infirmier qui y déposa un pistolet à injection.

– Quelle dose? demanda-t-elle de sa voix tranchante comme un rasoir.

– D'après son poids et son âge, une, madame. Deux au grand maximum. C'est déjà extraordinaire qu'elle ait supporté les précédentes et agi comme elle l'a fait.

Éléa Ril' Morienval vrilla son regard dans celui d'Ewilan et appuya sur la détente.

À la première injection, Ewilan sentit le feu tant redouté envahir ses veines. À la deuxième elle ne put retenir un cri. À la troisième, elle hurla.

À la quatrième, elle perdit connaissance.

Éléa Ril' Morienval continua à tirer jusqu'à ce que le chargeur du pistolet soit vide.

9

Une fois la porte refermée derrière Éléa Ril'
Morienval, le cœur de Salim retrouva peu à peu
un rythme normal. La présence de la Sentinelle
l'avait stupéfié, pourtant, à y réfléchir, c'était la clef
qui expliquait les événements récents. Qui d'autre
qu'elle aurait voulu, et surtout aurait pu, tendre un
tel piège à Ewilan ?

Restait à comprendre pourquoi elle ne l'avait pas
éliminée purement et simplement et ce que dissimulait cette étrange Institution.

Il attendit d'avoir recouvré son calme et sortit de
sa cachette. Il aurait tout le temps d'y songer lorsqu'il aurait tiré Ewilan de ce guêpier. Pour l'instant,
il avait une tâche à mener à bien. Essayant d'imiter
la démarche fluide d'Ellana, il emprunta les escaliers et se faufila à l'étage.

Les veilleuses de sécurité placées à intervalles
réguliers contre les murs suffisaient pour qu'il se
repère et lui garantissaient la discrétion… tant que
quelqu'un n'avait pas la mauvaise idée d'allumer les

plafonniers ! Il songea brièvement à ce qu'il ferait si cela se produisait. Ne trouvant pas de réponse, il préféra penser à autre chose.

Comme il s'en doutait, les pièces à ce niveau étaient essentiellement des chambres. La première était déserte, ainsi que la deuxième, mais dans le lit de la troisième un dormeur ronflait bruyamment. Salim referma la porte en douceur et reprit son exploration. Encore deux chambres, l'une occupée, l'autre vide, une salle d'eau puis Salim découvrit un bureau. Il s'y glissa, espérant, à défaut d'Ewilan, y dénicher des informations intéressantes.

Il avait à peine commencé sa fouille qu'un bruit de voix le fit sursauter. Des hommes approchaient. Salim se figea, guettant le bruit assourdi de leurs pas sur le tapis du couloir. Ils s'arrêtèrent devant le bureau.

Qu'est-ce que ces types venaient faire ici en plein milieu de la nuit ? Avait-on remarqué sa présence ? L'alerte avait-elle été donnée ? Salim chercha frénétiquement un refuge des yeux.

La porte s'ouvrit alors qu'il se glissait derrière une commode massive. La pièce s'éclaira et deux hommes entrèrent.

Salim se recroquevilla dans son coin. S'ils le cherchaient il était fichu, sa cachette ne résisterait pas une minute à la moindre inspection, sa seule chance était que...

Les deux hommes s'assirent côte à côte à une table et l'un d'eux saisit la liasse de papiers que Salim n'avait pas eu le temps de consulter. Le garçon soupira intérieurement. Ils n'étaient pas là pour lui !

Prenant son mal en patience, il s'installa du mieux qu'il put, osant à peine remuer de peur d'être entendu. Calé contre le mur, il tendit l'oreille pour glaner d'éventuels renseignements. Il s'écoula un long moment avant qu'un des individus ne prenne la parole.

– La police continue à rechercher notre dernier pensionnaire.

– La fille qui a failli s'échapper le jour de son arrivée ?

– Non, personne ne se pose de questions à son sujet. C'est à croire qu'elle n'a pas de famille. Je parlais du bébé.

– Et alors ?

– La fausse piste de la filière roumaine fonctionne parfaitement. Médias et police sont persuadés qu'il a été enlevé par un réseau de trafiquants d'enfants. Nous ne sommes pas près de les voir ici.

– Et la commission d'enquête du ministère de la Recherche ? Elle devait passer à la fin du mois.

– Le problème est réglé. Regarde.

De nouveau des bruits de papiers, puis un ricanement teinté de mépris. Les hommes poursuivirent leur travail en silence.

Une attente interminable débuta alors, rythmée par le bruissement des feuilles et les remarques inaudibles. Salim finit par s'inquiéter. On avait beau être au cœur de l'hiver, la nuit toucherait bientôt à sa fin, l'Institution se réveillerait, des gens emprunteraient les couloirs, sortir de la bâtisse deviendrait impossible.

Sa jambe blessée lui faisait mal, ses membres étaient engourdis, sans compter son estomac affamé qui émettait de peu discrets borborygmes.

Il envisagea un instant de se lever d'un bond et de s'enfuir en courant. Il était presque certain de semer les deux hommes, mais ceux-ci auraient largement le temps de donner l'alerte. Il serait capturé avant d'atteindre le grillage. Se glisser hors de la pièce comme un fantôme ? Irréalisable. Il devait attendre !

Par le carreau de la fenêtre proche de son œil gauche, il apercevait le toit plat de la construction où, il en était sûr désormais, Ewilan était retenue prisonnière et, plus loin, les premiers arbres de la forêt de Malaverse. Le ciel, depuis peu, lui paraissait moins sombre. Allait-il se retrouver coincé à cause d'un duo de scribouillards qui n'avaient rien d'autre à fiche que travailler la nuit ? C'était trop bête !

Il en était à sa quatorzième série de malédictions enrichies de jurons muets lorsqu'un bruit de chaises se fit entendre.

Les hommes se levaient ! Ils rangèrent des dossiers dans un tiroir et se dirigèrent vers la porte, passant à moins d'un mètre de Salim, aussi immobile qu'une statue.

Lorsque leurs pas se furent éloignés dans le couloir, il se redressa.

Ou du moins essaya.

Ses jambes ankylosées ne répondaient plus, son dos était raide, sa nuque douloureuse. Il eut toutes les peines du monde à se tenir droit. Heureusement qu'il n'avait pas tenté de s'enfuir en courant ! Il s'imagina s'effondrant sur le tapis sous l'œil surpris des deux travailleurs nocturnes et se félicita de sa prudence.

Le jour commençait à poindre, il n'était plus temps d'explorer le reste de la bâtisse. Salim calcula qu'il lui restait moins d'une heure de tranquillité. C'était à peine suffisant pour quitter l'Institution et se mettre à l'abri.

Avec un grognement de frustration, il opta pour la retraite. Il allait devoir rafistoler la clôture et prier toute la journée pour qu'un garde ne s'aperçoive pas qu'elle avait été découpée.

Ombre parmi les ombres, il se glissa jusqu'au rez-de-chaussée. Il retrouva sans peine la pièce dont il avait forcé la fenêtre et bascula à l'extérieur.

Malgré sa crainte de plus en plus vive d'être repéré, il se contraignit à ramper, la figure dans la boue, se figeant au moindre bruit alors que tout son être lui criait de détaler. Il parvint ainsi au grillage. Il franchit le trou qu'il avait ouvert quelques heures plus tôt puis, avec sa pince, sectionna une douzaine de mailles à la base de la clôture. Il récupéra une bonne longueur de fil de fer qui lui servit à masquer son intrusion.

La réparation était discrète. Il y avait peu de risques qu'on la remarque. Rassuré, Salim se dirigea vers la forêt.

Il atteignait les premiers arbres lorsqu'un ordre péremptoire le figea sur place :

– Stop ! On ne bouge plus ! Un seul pas et je tire !

Une vague de fatigue désespérée déferla sur Salim. Il avait oublié le garde qui faisait ses rondes autour de l'Institution! Toutes ces précautions pour en arriver là, coincé comme un cambrioleur aveugle et débile... Il en aurait pleuré.

– Les mains sur la tête! Vite!

Salim obtempéra en se retournant. Lentement pour que le garde ne croie pas à une tentative de fuite et le canarde à bout portant.

L'homme, vêtu de la combinaison noire que Salim connaissait bien, le tenait en joue avec un fusil d'assaut, à moins de cinq mètres. Le genre d'arme qui, à cette distance, réduit un être humain en bouillie. Le dogue n'était pas visible, mais cela ne changeait rien à la situation. Tout était fichu!

– Écoute, petit, je ne le répéterai pas deux fois. Tu vas te mettre à genoux et je vais te passer les menottes. Au moindre geste, je t'abats. Tu as compris?

Salim, la gorge nouée par le désespoir, hocha la tête et suivit ses instructions. L'homme s'approcha. Il ne prenait aucun risque, avançant avec précaution, le maintenant sous la menace de son fusil alors qu'il tirait une paire de menottes de sa poche. Il les ouvrit d'un geste sec et précis, preuve, s'il en était besoin, qu'il n'avait rien d'un amateur.

– Tends les bras. Paumes vers le haut.

Salim obéit. Il aurait donné sa vie pour qu'un miracle s'accomplisse. Pour que, pendant cinq minutes, il ne soit plus un garçon épuisé, terrifié, blessé, mais un héros. Un vrai. Edwin. Ellana. Ou même Bjorn.

Les buissons se déchirèrent.

Une silhouette immense, environnée d'une aura de puissance dévastatrice, bondit et atterrit près d'eux avec un grognement presque animal.

Le garde pivota, pointa son arme. Une main grosse comme un battoir la lui arracha aussi facilement que si elle avait eu affaire à un jouet tenu par un enfant, la jeta négligemment en arrière, puis un poing monstrueux frappa.

Une fois.

En plein visage.

Le garde partit en arrière, comme percuté par une locomotive. Avant même qu'il ne s'effondre dans les fourrés, Salim savait qu'il était mort.

Il n'eut qu'à se lever et à tomber dans les bras de Maniel.

10

Paris.

– **E**ntrez!

La porte du bureau s'ouvrit. Un homme en blouson de cuir passa la tête par l'entrebâillement.

– Excusez-moi, chef, il faut que je vous parle.

Le commissaire Franchina comprit au regard de l'inspecteur qui venait de le déranger qu'il s'agissait d'une urgence. Il s'excusa brièvement auprès de son interlocuteur et sortit dans le couloir.

– Je vous écoute.

– Encore un, chef, ou plutôt une. Cette nuit.

Le commissaire poussa un juron sonore. Le cauchemar se poursuivait. Suite au fiasco de l'affaire Duciel-Condo, il avait failli ne pas obtenir son avancement et n'avait décroché son nouveau grade et sa mutation à Paris que de justesse. Il savait que ses supérieurs guettaient sa première défaillance et voilà qu'il se trouvait aux prises avec un serial killer à l'américaine, insaisissable, incompréhensible et d'une cruauté bestiale inimaginable. Aucun indice, aucune piste et déjà huit victimes. Non, neuf.

– Qui et où ?

– Une jeune femme, attachée culturelle à la mairie du huitième arrondissement. On l'a retrouvée ce matin dans une ruelle, éventrée comme les autres.

– Et elle…

– Oui, chef. Elle aussi.

Le commissaire Franchina se passa les mains sur le visage. L'assassin, non content d'éviscérer ses victimes, de les mutiler, les dévorait. Ou du moins mimait un festin et quittait le lieu du meurtre en emportant des morceaux des malheureux qu'il avait massacrés. C'était la seule hypothèse recevable puisque aucune dentition humaine ne pouvait infliger les blessures constatées sur les corps. Il s'agissait probablement d'un fou furieux qui trimballait tout un attirail de ciseaux, pinces, tenailles et s'acharnait comme un dément sur les gens qu'il coinçait.

Les spécialistes consultés avaient noté d'étranges similitudes entre les formes des plaies et les mandibules de certains insectes. Sur leurs assertions, la police avait privilégié la piste d'un tueur entomologiste avant de l'abandonner, faute d'éléments probants. L'affaire demeurait pour l'instant secrète, mais des journalistes se doutaient de quelque chose. L'info finirait bientôt par filtrer, ce serait la panique, ses supérieurs le jetteraient en pâture aux médias et il ne se relèverait pas de ce nouvel échec. Sa carrière était fichue.

L'inspecteur lui tapota gentiment l'épaule.

– On a un élément nouveau, chef.

Le commissaire Franchina sursauta et redevint attentif.

– Oui ?

En guise de réponse, son collaborateur lui tendit une boîte transparente, de celles utilisées pour recueillir les échantillons prélevés sur le lieu des crimes en vue de les analyser. Au travers des parois, on discernait parfaitement une dizaine d'anneaux métalliques imbriqués, couverts d'une substance gluante verdâtre.

– Qu'est-ce que c'est ?

– Aucune idée. Le labo effectue des tests, mais nous n'aurons les résultats qu'en fin d'après-midi. Cela dit, Marcel a une idée.

– Marcel ?

– Oui, un gars de la criminelle. Pour lui, c'est évident. Il s'agit d'un morceau de cotte de mailles maculé de sang de dragon.

– Vous croyez vraiment que c'est le moment de faire de l'humour ?

– Désolé, chef. Je passe vous voir dès que le compte rendu arrive. O.K. ?

– Très bien. Nous n'avons plus qu'à croiser les doigts. Si nous ratons cette opportunité, les journalistes, eux, ne nous rateront pas.

Le commissaire Franchina regagna son bureau. Il ne savait plus de quoi il parlait avant d'avoir été interrompu ni même avec qui. C'était sans doute important, pourtant il s'en fichait éperdument. Un serial killer sévissait dans les rues de la capitale et il fallait qu'il l'arrête avant qu'il ne frappe à nouveau.

11

Forêt de Malaverse.

– **A**ttention!

Le dogue venait d'apparaître dans le dos de Maniel.

C'était un animal énorme, capable d'arracher un bras à un adversaire, dressé à déchiqueter plutôt qu'à maîtriser. Ses maîtres avaient développé sa sauvagerie tout en lui inculquant l'efficacité d'un tueur silencieux. Ils en avaient fait une arme mortelle.

Salim l'avait aperçu au moment où il bondissait, les mâchoires tendues vers la nuque de Maniel. Il n'avait eu que le temps de crier un avertissement.

Cela suffit.

L'homme-lige pivota avec une souplesse et une rapidité qui stupéfièrent Salim. Il mit un genou à terre et, à l'instant où le dogue arrivait sur lui, il referma la main sur sa gorge. Le chien pesait quatre-vingts kilos. Des kilos de muscles et de rage. Maniel lui fit décrire une parabole comme s'il avait été de plume, et abattit de toutes ses forces le dos de l'animal sur son genou. Il y eut un craquement écœurant, le chien ne bougea plus.

Déjà Maniel était debout. Il scruta les alentours avant de se tourner vers Salim.

– Viens, ordonna-t-il. Il ne faut pas rester ici.

Le garçon ne se le fit pas dire deux fois. Il tenait son miracle, il n'allait pas le lâcher !

Ils marchèrent un bon quart d'heure puis, alors que le soleil se levait, ils s'arrêtèrent au plus profond d'un hallier.

– Comment t'es-tu débrouillé pour nous rejoindre ? questionna immédiatement Salim. Et comment as-tu compris que nous étions en danger ?

– Plus tard ! trancha Maniel. Dis-moi d'abord où est Ewilan.

Le ton de l'homme-lige ne laissait aucune place à la discussion. La même force avait résonné dans sa voix un peu plus tôt lorsqu'il avait ordonné le départ, mais Salim n'y avait pas prêté attention. Cette fois-ci, il en prit vraiment conscience. Maniel avait changé et pas seulement de caractère. Salim l'avait vu combattre à de multiples reprises. C'était un valeureux soldat dont les principaux atouts étaient la stature et la force. Il était redoutable, mais ne brillait pas par la finesse, loin, bien loin de l'efficacité d'un maître d'armes comme Edwin. Or c'était justement à Edwin que Salim avait pensé en voyant Maniel se débarrasser du chien. La même rapidité, la même mortelle précision…

– Je t'écoute. Et pendant que tu parles, montre-moi ta cuisse. Ne pas s'occuper de ce genre de plaie peut se révéler dangereux.

Comment diable Maniel savait-il qu'il était blessé? Salim ne s'attarda pas sur cette question accessoire. La présence de l'homme-lige était un baume qui lui permettait, pour la première fois depuis trois semaines, d'envisager l'avenir sinon avec sérénité du moins avec espoir.

Il ôta son pantalon et, pendant que les mains de Maniel se refermaient avec douceur sur sa jambe, il raconta.

– Très bien, dit simplement Maniel lorsqu'il eut fini. Cette nuit nous irons chercher Ewilan.

– Mais les gardes, les chiens… Il nous faut un plan!

Le colosse leva la main pour lui intimer le silence.

– Cette nuit! Lorsqu'une attaque est menée, elle doit l'être jusqu'au bout. Jusqu'à la victoire. Sans trêve. Sans repos. Tu dois toutefois savoir un certain nombre de choses, alors écoute-moi. J'ai compris que la situation était anormale lorsque je ne vous ai pas vus revenir le jour prévu. Je suis allé au palais et j'ai demandé à voir l'Empereur.

– Tu as demandé à…

– Oui. Il m'a reçu et je lui ai fait part de mon inquiétude. Il s'est rallié à mon avis. Si Ewilan n'était pas rentrée, c'est qu'elle était en danger. Il fallait que je passe dans l'autre monde.

– Comment t'es-tu débrouillé?

– Ça n'a pas été facile. Très peu de dessinateurs sont capables d'effectuer le grand pas. Ewilan, ses parents, Mathieu, Éléa Ril' Morienval et trois Senti-

nelles. Personne d'autre. Nous n'avons plus de nouvelles d'Élicia, Altan et Mathieu depuis qu'ils ont
franchi la mer des Brumes et maître Duom lui-même
n'est pas parvenu à les contacter. Il était difficilement envisageable de solliciter Éléa Ril' Morienval
pour un coup de main…

– Et les trois autres Sentinelles ?

– L'une d'elles est Holts Kil' Muirt, ou du moins
était. Il n'a plus prononcé un mot depuis son duel
contre Ewilan et semble désormais détenir moins de
pouvoir qu'un poireau. La deuxième est en expédition secrète pour l'Empereur à Kur N' Raï, au cœur
des royaumes raïs, et a reçu comme consigne de se
tenir loin de l'Imagination. Impossible de la joindre.
Quant à la troisième, elle se trouve entre la vie et la
mort après une chute idiote du haut d'une passerelle.

– Mais alors, comment…

– Nous avons fouillé le trésor impérial jusqu'à ce
que Sil' Afian déniche une voyageuse, tu sais cette
bille qui permet d'effectuer un pas sur le côté. Il n'y
en avait qu'une. Ewilan devra se débrouiller pour
le retour.

– Tu as réussi à utiliser la voyageuse pour nous
rejoindre alors que tu ignorais où nous étions ?
s'étonna Salim.

– Oui.

La réponse, laconique, sonna comme un point final
et Salim comprit qu'il n'en saurait pas davantage. Il
y eut un moment de silence qu'il mit à profit pour
réfléchir. Maniel était un ami, certes, mais l'énergie
qu'il avait déployée pour les rejoindre n'en demeurait pas moins sidérante. Sans compter que si par

malheur Ewilan ne parvenait pas à effectuer le grand pas, Maniel resterait coincé dans ce monde…

– Comment on va s'y prendre ce soir ? Je veux dire pour délivrer Ewilan. Il y a des gardes, ils sont armés. Des armes que tu ne connais pas, mille fois plus dangereuses que les sabres alaviriens. Des portes aussi, en acier, des barreaux et… Éléa Ril' Morienval.

Maniel lui adressa un sourire grave.

– Je suis homme-lige, bonhomme.

– Je sais. Ewilan me l'a annoncé. Mais tu ne comprends pas ce que j'essaie de te dire. Le fusil que tu as arraché au garde tout à l'heure peut te couper en deux à près d'un kilomètre de distance, les gardes sont nombreux, ils ont des moyens techniques que tu n'imagines même pas, ils…

– Non, Salim, c'est toi qui ne comprends pas ce qu'est un homme-lige. Cela n'a pas d'importance, ce qui doit être réalisé le sera. Ce soir. Dis-moi, tes gardes et leurs fusils ne t'ont pas empêché par trois fois de tenter de la libérer ?

– Non, bien sûr. Mais ce n'est pas pareil, je…

Salim se tut. Bien sûr ce n'était pas pareil, mais ce n'était pas si différent non plus. Qu'essayait-il donc de prouver avec ses phrases creuses ? Pourquoi ce discours alarmiste alors que Maniel lui avait sauvé la vie et qu'il avait cent fois plus de chances que lui de libérer Ewilan ? Il se détendit. Sa jambe ne le faisait plus souffrir, effet de l'onguent dont Maniel avait copieusement enduit sa blessure. Encore une raison de lui être reconnaissant…

– Merci, Maniel, prononça-t-il enfin. Je suis heureux que tu sois là. Vraiment très heureux. Et je te remercie pour les risques que tu prends. Qu'attends-tu de moi cette nuit ?

L'homme-lige approuva la tirade d'un hochement de tête satisfait.

– Je te préfère comme ça, bonhomme. Je vais en effet avoir besoin de toi ou plutôt Ewilan va avoir besoin de toi, surtout si je suis contraint à brûler entièrement.

– À quoi ?

– À brûler. C'est une prérogative des hommes-liges. Je suis immensément fier de l'honneur qui m'est accordé.

– Je ne comprends pas...

– Ce n'est pas grave, tu saisiras bientôt. Pourquoi ne t'es-tu pas transformé en loup lors de tes tentatives précédentes ? Tu aurais été bien plus discret et efficace.

Salim prit une mine dubitative.

– Impossible ! J'ignore comment fonctionne cette faculté et ne compte pas sur moi pour l'analyser. Je pense toutefois qu'elle est liée au pouvoir de Merwyn. C'est dans les Marches du Nord, là où il a vécu, que je me suis métamorphosé pour la première fois, tu t'en souviens, non ? D'accord, ce n'est qu'une théorie, mais il y a une chose dont je suis sûr : je ne peux pas devenir loup ici ! Ewilan est incapable de communiquer par la pensée d'un monde à l'autre et moi, je suis incapable de me transformer en dehors de Gwendalavir. J'ai essayé, ça ne marche pas.

Maniel avait écouté la tirade sans bouger, aussi imperturbable qu'une falaise de granit.

– Ça marchera si tu le veux vraiment !

Sa voix était calme, assurée, comme s'il énonçait une vérité et non une hypothèse. Salim en perdit ses certitudes.

– Je... tu...

– Ce soir, le coupa Maniel, je m'occuperai de tout. Je suis venu dans ce but unique. Toi, tu ne devras prendre aucun risque. Ton rôle débutera au moment même où je tomberai.

– Mais...

– Tais-toi et écoute. Le serment que j'ai prêté va m'offrir la force dont j'aurai besoin, mais il me faudra payer pour cela. Si ma dette est trop lourde et si je dois la rembourser sur-le-champ, tu seras seul pour mettre Ewilan à l'abri. Si nécessaire, tu te transformeras en loup.

– Je ne peux...

– Tu te transformeras, j'ai dit !

Le colosse avait haussé le ton. Salim se recroquevilla. Tout à coup Maniel l'effrayait. Il se rendait compte avec une certaine appréhension qu'une seule chose comptait pour l'homme-lige : sauver Ewilan.

Il n'y avait aucune limite à ce qu'il était prêt à faire pour parvenir à ses fins.

Strictement aucune !

12

Forêt de Malaverse – Quelques heures plus tard.

Salim dormit presque toute la journée, s'abandonnant à un repos complet pour la première fois depuis qu'il avait quitté Gwendalavir.

Le soleil était haut dans un ciel où moutonnaient quelques nuages clairs lorsque, entre deux sommes, il s'éveilla. Maniel n'était pas visible, mais une miche de pain trônait bien en évidence sur un rocher près d'un jambon fumé dans lequel était planté un poignard. Un appel irrésistible auquel il céda sans hésitation. Il dévora la miche entière et la moitié du jambon avant de se rendormir, le ventre délicieusement plein.

Une main lui secoua l'épaule alors qu'il était plongé dans un rêve étrange où un géant brûlait avec le sourire tandis qu'une fille sans cheveux dansait autour de lui.

Il ouvrit les yeux. Maniel était penché sur lui. La nuit était là.

– C'est le moment. On y va.

Salim se leva. Dormir tout son saoul l'avait revigoré. Une énergie nouvelle coulait dans ses veines.

– Tu veux que je te guide ? proposa-t-il.

– Ce ne sera pas nécessaire. J'ai inspecté la clôture pendant que tu te reposais et j'ai découvert l'endroit par lequel tu es passé. J'ai également déplacé le corps du garde et celui du chien pour que l'attention de nos adversaires se porte plutôt de l'autre côté de l'Institution. Il nous faudra toutefois rester prudents. Il serait stupide de croire qu'ils ne se méfient pas et qu'ils se contenteront de surveiller une seule partie du parc.

– Comment comptes-tu t'y prendre pour entrer dans le bâtiment où Ewilan est détenue ?

– Par la porte. Il n'y a que deux gardes.

Salim ne s'autorisa pas la moindre remarque et Maniel poursuivit :

– J'ai observé la fréquence des rondes. La relève a lieu toutes les deux heures. C'est le délai que nous aurons pour mener à bien notre projet. Des questions ?

– Non. Enfin si, une remarque. Lors de ma deuxième tentative, je regardais par une fenêtre de la bâtisse rouge lorsque j'ai vu... du moins j'ai cru voir... C'était sans doute une illusion due à la fatigue...

– Non, Salim ! J'ai aperçu ses traces dans la forêt. Tu n'as pas rêvé !

– Qu'allons-nous faire ?

– Faire avec, bonhomme. Faire avec...

Le colosse saisit dans l'herbe deux longs épieux taillés dans des branches épaisses parfaitement droites et un bâton plus court au diamètre impressionnant qu'il glissa dans sa ceinture.

– Ne sachant pas où j'allais atterrir, j'ai préféré ne pas emporter mes armes avec moi, mais on peut effectuer du bon boulot avec ce type de cure-dents. Tu es prêt ?

– Prêt !

Maniel se mit en route, suivi par Salim. Le garçon avait l'impression de poursuivre son rêve, en marge d'une réalité qu'il percevait au travers d'une lentille déformante depuis que Maniel avait surgi.

L'homme-lige avançait dans l'obscurité sans montrer la moindre hésitation, plus proche d'un grand fauve que d'un être humain. Sa carrure était impressionnante, sa démarche souple, son port de tête vindicatif. Salim se prit à penser qu'il était indestructible et que les jours de l'Institution, ses heures peut-être, étaient comptés.

Maniel se glissa par l'ouverture découpée dans le grillage avec une facilité déconcertante vu sa corpulence. Il fit ensuite signe à Salim de passer devant pour lui indiquer les endroits où se situaient les alarmes et les deux compagnons continuèrent en rampant. Ils atteignirent sans encombre le mur de brique.

La lune, croissante, était presque pleine mais des nuages bienvenus obscurcissaient sa clarté. Maniel reprit la tête de l'expédition et se coula le long de la vieille bâtisse.

Ils prirent soin de se baisser en passant sous les fenêtres pourtant sombres et parvinrent à son angle. Maniel, imité par Salim, jeta un bref coup d'œil. L'édifice bas était là, à une trentaine de mètres, sa porte métallique gardée par deux hommes armés de fusils.

La scène était éclairée indirectement par un projecteur placé plus loin au sommet d'un poteau.

Maniel recula d'un pas et se laissa tomber à genoux. Il saisit sa tête à deux mains et entama une sourde mélopée. Une vive inquiétude s'empara de Salim. Que se passait-il ? Maniel était-il malade ? Blessé ? Une foule d'explications se pressèrent dans son esprit, toutes plus angoissantes les unes que les autres. Le temps qu'il s'approche et tende un bras qu'il voulait réconfortant vers l'épaule de son ami, celui-ci se relevait.

Salim sursauta. Maniel avait changé. Ses yeux brillaient dans l'obscurité, sa poitrine se soulevait avec une puissance incroyable, ses traits étaient durs, tendus et sereins à la fois. Impressionnants. Non, effrayants…

– C'est parti ! cracha-t-il d'une voix rauque.

Maniel bondit dans la zone éclairée. En l'apercevant, les gardes levèrent leurs armes.

Trop tard.

Les deux épieux de l'homme-lige, lancés avec toute la violence dont il était capable, avaient fusé et fendaient l'air côte à côte à une vitesse fulgurante. Ils se plantèrent chacun dans la poitrine d'un homme en noir, les projetant en arrière sous l'impact et les clouant au mur de béton comme des insectes dans la vitrine d'un collectionneur.

Maniel n'avait pas arrêté sa course. Il atteignait déjà la porte, Salim sur les talons. Il posa la main sur la poignée. Fermée.

Les muscles de son avant-bras se contractèrent, son poing se serra et l'acier gémit. Salim écarquilla les yeux. Ce n'était plus Maniel qui œuvrait devant lui, mais un titan déchaîné. L'homme-lige accentua son effort, la porte se déchira avec un crissement strident avant de sauter de ses gonds.

Les deux compagnons se précipitèrent à l'intérieur.

13

L'Institution.

Ils atteignirent un hall immense pratiquement vide, carrelé de faïence immaculée et éclairé par des tubes lumineux qui le paraient d'un éclat froid presque menaçant. Un homme vêtu d'une blouse blanche poussait un chariot sur lequel étaient empilés des draps et des couvertures. En entendant le bruit de leur course, il se tourna vers eux. Il esquissait un geste de fuite quand le bâton de Maniel le frappa à la tempe. Il s'effondra.

L'homme-lige n'avait pas ralenti. Il courait si vite que Salim, pourtant rapide, avait du mal à le suivre. La première intersection tira une grimace au garçon. Comment retrouver Ewilan si le bâtiment était vaste, pire, s'il s'agissait d'un labyrinthe ?

Maniel n'hésita pas. Il poursuivit tout droit, ignorant les couloirs qui s'ouvraient à gauche ou à droite, ne manifestant aucune incertitude sur le chemin qu'il fallait emprunter. Ils parvinrent à une porte d'acier que Salim reconnut comme celle d'un ascenseur. Un clavier reposait sur une console de plexiglas. Un code. Il fallait un code !

Alors que Salim s'abandonnait au désespoir, Maniel frappa de son poing énorme le centre du panneau métallique. Un bruit de tonnerre retentit. Sans paraître ressentir la moindre douleur, l'homme-lige frappa encore. Une fois. Deux fois. Le panneau, gondolé, laissa deviner à sa périphérie un interstice dans lequel Maniel engagea une main. De nouveau les muscles formidables se nouèrent, de nouveau l'acier gémit avant de céder.

La porte s'ouvrit en grinçant sur un puits sombre dans lequel plongeaient trois câbles. Maniel enroula ses mains dans sa tunique et saisit le plus gros.

– Fais comme moi, ordonna-t-il.

Salim l'imita et glissa à sa suite dans l'obscurité. Le frottement du câble contre sa peau, malgré la protection qu'offrait l'épaisseur du tissu, le brûlait sérieusement lorsque ses pieds prirent contact avec une surface horizontale. Le dessus de la cabine d'ascenseur ! Salim aida Maniel à soulever la trappe de visite et ils sautèrent à l'intérieur de la cabine. Maniel contempla les boutons du panneau de commande avant de se tourner vers Salim.

– Nous devons descendre. Elle se trouve en bas !

La voix de l'homme-lige était pâteuse, du sang coulait de sa main droite dont les phalanges faisaient peur à voir, mais il n'en était que plus impressionnant. Salim avait le sentiment de ne plus rien contrôler, d'être ballotté au cœur d'un ouragan, aussi impuissant qu'un fétu de paille. Il appuya sur le bouton le plus bas et l'ascenseur se mit en marche.

Ils accédèrent à une pièce immense au centre de laquelle trônait une machine étrange constituée d'une multitude de pièces brillantes en mouvement, couronnée d'un dôme d'où s'échappaient cinq bras métalliques faisant irrésistiblement songer à des tentacules. Deux hommes en blouse verte étaient penchés sur un pupitre. Au bruit de la porte de l'ascenseur qui s'ouvrait, ils se retournèrent.

Maniel avait déjà couvert la moitié de la distance qui les séparait. L'un d'eux ouvrit la bouche pour crier, l'autre voulut s'enfuir, aucun ne réalisa ce qu'il projetait. Maniel les avait saisis à la nuque, leurs crânes s'entrechoquèrent, ils devinrent mous comme des poupées de chiffon.

L'homme-lige les laissa choir et s'élança. Il contourna la machine, accéléra en découvrant l'entrée d'un couloir. Salim, lui, ne suivait plus. Le souffle court, le cœur menaçant d'exploser, il était proche de l'asphyxie.

Maniel allait quitter la salle, rien ne semblait pouvoir l'arrêter lorsque, devant lui, l'air se troubla un bref instant…

… Un Ts'lich apparut.

C'était bien la créature monstrueuse qui hantait la mémoire de Salim. Le croisement incertain d'une mante religieuse géante et d'un lézard non moins démesuré, un hybride haut de plus de deux mètres dont les pattes avant se prolongeaient au-delà des mains par une lame osseuse à l'aspect redoutable. Un être répugnant, dont les mandibules acérées suintaient un liquide inquiétant. Une machine à tuer, prédateur ultime, mais aussi dessinateur hors pair capable d'imposer sa volonté inhumaine sur les

Spires, de tordre l'Imagination pour la plier à son vouloir : l'ennemi héréditaire de toutes les autres races vivantes.

En une fraction de seconde, Maniel était passé d'une course folle à un calme absolu. Il observait le Ts'lich aussi immobile que lui. Pourtant une énergie presque palpable se dégageait des deux adversaires, formant autour d'eux une aura électrique de tension retenue. Le Ts'lich passa soudain à l'attaque. Il leva un bras et une dizaine de sphères ignées créées par sa volonté filèrent vers Maniel.

Salim serra les mâchoires. En combat rapproché, son ami n'avait que très peu de chances ; si le Ts'lich utilisait l'Art du Dessin, il n'en avait aucune !

L'homme-lige ne tenta pas d'éviter le tir de son ennemi. Il ne broncha pas, mais lorsque les boules de feu furent sur lui, il poussa un rugissement qui parut ébranler l'univers par la violence dont il était chargé. Un écran se dressa devant lui, un écran grésillant de lumière rouge. Les sphères enflammées rebondirent à son contact et se perdirent plus loin.

Le Ts'lich n'attendit pas d'en voir davantage. Alors que l'écran protecteur disparaissait, il passa à l'attaque, aussi vif qu'un éclair. Ses lames osseuses se croisèrent comme une paire de monstrueux ciseaux, ouvrant une plaie béante dans l'abdomen de Maniel. Elles se relevèrent ensuite pour porter le coup de grâce et, tout à coup, se figèrent.

L'homme-lige les avait saisies à pleines mains et bloquait dans l'étau de ses poings la terrible puissance du Ts'lich.

Un instant, les deux adversaires s'observèrent, chacun essayant de faire plier l'autre par la force de ses muscles et de sa volonté, puis Maniel frappa.

Un prodigieux coup de tête qui percuta le Ts'lich juste entre les yeux.

Sous l'impact, la chitine du guerrier lézard craqua odieusement, il partit en arrière, essaya de se retenir pour finalement s'effondrer.

Il se releva aussitôt, ses lames cliquetèrent tandis qu'un flot de liquide vert et poisseux ruisselait sur son visage. Il foudroya Maniel de son regard ophidien, esquissa un geste qu'il ne mena pas à terme. Après une malédiction incompréhensible aux sonorités effrayantes, il disparut.

D'un geste rageur, l'homme-lige arracha un pan de sa tunique. Il confectionna un bandage de fortune pour compresser l'affreuse blessure de son ventre. Salim n'eut que le temps de voir le tissu devenir écarlate et les premières gouttes de sang traverser le pansement.

Maniel avait déjà repris sa course.

14

Maniel dépassa une série de portes sans paraître les remarquer pour s'arrêter enfin devant l'une d'entre elles, parfaitement anonyme. Il reprit en main le bâton qu'il avait glissé à sa ceinture et tourna la poignée. La pièce minuscule n'était éclairée que par l'éclat verdâtre d'un moniteur de surveillance médicale et le mobilier, sommaire, ne ressortait qu'en taches sombres.

Dès que ses yeux furent habitués à l'obscurité, Salim distingua un lit. Une silhouette y était allongée. Décharnée, le crâne rasé, les yeux clos, la respiration sifflante.

Ewilan !

Il s'approcha, n'osant croire à ce qu'il découvrait, partagé entre la joie de la savoir vivante et la nausée provoquée par son état. Elle semblait inconsciente, perdue dans des rêves insondables, hors d'atteinte d'une quelconque sollicitation extérieure.

Il posa la main sur son bras, tressaillit au contact de sa peau livide à travers laquelle se dessinait le délicat entrelacs des veines bleutées.

Une multitude de capteurs reliaient son corps à un complexe appareillage électronique, tandis que des aiguilles plantées à la saignée de ses coudes diffusaient dans son organisme un liquide trouble contenu dans un flacon de verre au-dessus d'elle.

Maniel entreprit de retirer le plus délicatement possible aiguilles et capteurs avant de les fracasser au sol d'un geste hargneux. Salim se joignit à lui. Les larmes qui tombaient sur le lit ne le concernaient pas, ni celles qui ruisselaient sur son visage.

Il dut attendre que sa vue se brouille pour comprendre que c'était bien lui qui pleurait...

Il s'essuya les yeux et regarda Maniel fabriquer un harnais avec un drap.

– Tu vas installer Ewilan dans ce harnais et l'attacher sur mes épaules, ordonna l'homme-lige. Solidement, mais sans qu'elle entrave mes mouvements. La sortie va être difficile, je ne veux pas être gêné.

Salim acquiesça en silence. Il prit Ewilan dans ses bras, son cœur écrasé de souffrance à la sentir si désespérément légère. Elle était revêtue d'une tunique de toile blanche ouverte dans le dos qui ne dissimulait rien de sa maigreur quasi cadavérique ni des ecchymoses constellant son corps. Salim eut toutes les peines du monde à l'amarrer sur les épaules de Maniel. Elle était inerte, le peu de muscles qui lui restaient complètement relâchés. Sa tête dodelina jusqu'à ce qu'il réussisse à la caler avec une bande déchirée dans un drap.

– C'est bon, lança-t-il en réprimant avec peine un sanglot.

Maniel, qui n'avait pas bougé pendant l'opération, fit jouer ses bras puis vérifia qu'il pouvait d'un geste faire passer le harnais devant lui. Convaincu de sa solidité et de sa tenue, il sortit de la pièce.

Salim le suivit. En passant près du lit, il posa le pied dans une flaque dont il ne comprit l'origine qu'en arrivant dans le couloir, lorsque les tubes lumineux éclairèrent l'écarlate qui maculait sa chaussure.

Du sang.

Le sang de Maniel qui continuait à s'écouler hors de lui en même temps que sa vie.

Les deux hommes en vert près de la machine étaient toujours inconscients, peut-être morts. Il n'y avait aucune trace du Ts'lich.

La porte de l'ascenseur chuinta en se refermant derrière eux, Salim appuya sur le bouton du rez-de-chaussée.

Alors que l'ascenseur s'ébranlait, ses yeux tombèrent sur le bandage qui ceignait l'abdomen de Maniel. Comment l'homme-lige pouvait-il tenir debout avec une pareille blessure ? Comment pouvait-il être encore vivant ?

Malgré son inquiétude, Salim n'osa pas s'enquérir de son état. Maniel paraissait plongé dans un univers qui lui appartenait et, si ses yeux flamboyaient toujours, Salim avait conscience qu'ils ne le voyaient pas vraiment.

À la sortie de l'ascenseur, Salim s'attendait à être accueilli par des volées de balles. Il n'en fut rien. Le couloir dans lequel ils s'engouffrèrent était désert et silencieux. Devant lui, Maniel ne courait plus, sans que Salim réussisse à deviner si ce changement d'allure était dû à sa blessure ou à sa volonté de ménager son précieux fardeau.

Il marchait toutefois d'un bon pas et ils parvinrent rapidement dans le grand hall. L'homme que Maniel avait assommé n'était plus là, ni son chariot.

Les deux compagnons n'eurent pas le temps d'échanger leurs impressions. Il y eut soudain un bruit de cavalcade sur leur droite tandis qu'une alarme retentissait dans les entrailles du bâtiment. Maniel hésita une seconde, jaugeant la distance qui lui restait à parcourir, puis s'élança. Des ordres fusèrent dans leur dos, leur intimant de s'arrêter. Salim jeta un bref coup d'œil en arrière, aperçut un groupe de gardes dont certains les mettaient en joue. Il poussa un juron. La porte extérieure avait beau être proche, ils ne l'atteindraient pas !

Sans ralentir sa course, Maniel fit passer Ewilan devant lui. Il avait conscience de sa vulnérabilité et la protégeait de son corps. Un premier coup de feu retentit, une balle siffla aux oreilles de Salim avant de ricocher contre un mur.

Une deuxième détonation puis une troisième.

Maniel fut projeté en avant par un poing titanesque et invisible. Il trébucha, tomba à genoux, tandis que des flots de sang s'échappaient de son dos. Salim se laissa choir à ses côtés.

– Maniel ! cria-t-il. Maniel !

L'homme-lige leva vers lui un regard déjà vitreux. Sa poitrine se soulevait à grand-peine et chaque expiration s'accompagnait d'un geyser écarlate.

– À toi de jouer, bonhomme, haleta-t-il. Prends-la, je m'occupe des gardes !

– Mais...

– Tais-toi ! Si tu ne la sauves pas, je jure que je reviendrai du fond des enfers pour te le faire payer. Dépêche-toi, il ne me reste presque plus rien à brûler...

D'une main tremblante, Salim défit le harnais. Ewilan roula dans ses bras. Elle ne pesait rien, il se leva sans difficulté. Les hommes en noir avaient baissé leurs armes et s'approchaient prudemment.

En apercevant le geste de Salim, ils hurlèrent des ordres, pointèrent leurs fusils. Le garçon serra les dents et commença à courir, attendant l'inévitable impact qui ne manquerait pas de le couper en deux.

Maniel se dressa alors, titan ruisselant de sang et de rage, défiant de son bâton les gardes et leurs armes automatiques. Il poussa un rugissement terrible qui fit trembler l'édifice et se rua sur eux. Terrifiés par la vision apocalyptique du géant ensanglanté qui les chargeait, les hommes en noir ouvrirent le feu.

Une puis deux, puis des dizaines de balles se logèrent dans le corps de l'homme-lige sans parvenir à le stopper. Il percuta ses adversaires qui roulèrent à terre avant de se relever et de l'assaillir de toutes parts.

Un dernier cri retentit :
– Sauve-la, Salim !
À nouveau des hurlements. Un coup de feu.
Salim ne se retourna pas.
Ewilan dans ses bras, il s'enfonça dans la nuit.

OMBRE BLANCHE

1

Maximilien Fourque se baissa pour cueillir une jonquille. Dans quelques jours, les prés seraient couverts de fleurs, mais pour l'instant, alors que mai débutait à peine, la petite flamme jaune lui faisait l'effet d'un cadeau du ciel. La promesse d'un renouveau que, d'année en année, il s'étonnait de goûter avec autant de force.

Il en avait pourtant compté des printemps. Soixante-dix-sept. Un nombre bien rond, bien équilibré, qui donnait envie de se coucher sur la terre aride d'Ombre Blanche pour se fondre avec elle, envie de la nourrir comme elle l'avait nourri. Par reconnaissance. Par amour.

Il savait qu'il finirait ainsi, cette pensée rythmait ses jours et ses nuits, lui offrant la beauté magique d'un lieu que tout autre que lui aurait trouvé écrasant de solitude. Elle lui permettait de traverser les hivers noirs et froids, les coups du destin, les maladies de ses chèvres, sans qu'il éprouve la moindre rancœur pour sa vie rude de Caussenard. Le dernier des Caussenards !

Les Causses s'étendaient sur des milliers d'hectares, loin du fleuve, bien au-delà de la forêt de Malaverse. Plus personne n'y vivait depuis des dizaines d'années. Les paysans avaient plié bagage les uns après les autres, attirés par la promesse de pâturages plus fertiles ou éblouis par la lumière factice des villes et la vie facile qu'elles offraient. Les rares villages, nichés au fond de combes abritées du vent, étaient morts. Les clochers s'étaient écroulés, les fontaines taries. Maximilien Fourque était resté.

Ombre Blanche se dressait dans une faille du plateau, invisible tant qu'on n'avait pas le nez dessus. Des murs bas et épais en pierres sèches, un toit de lauzes capable de résister à la pire des tourmentes hivernales, une porte de chêne assemblée par un aïeul depuis longtemps redevenu poussière, une étable jouxtant la maison et, trésor inestimable, une source qui coulait dans une vasque, offrant un filet d'eau pure quelle que soit la saison.

Maximilien n'avait quitté Ombre Blanche que deux fois dans sa vie. La première lorsque, envoyé comme soldat en Algérie, il avait dû combattre des gens qu'il ne connaissait pas et qui ne lui avaient rien fait. Il était revenu blessé. À la jambe et à l'âme.

Seule la jambe avait guéri.

La deuxième fois, c'était trois ans plus tôt. Tout le monde le croyait mort. Enfin, tous ceux qui ne l'avaient pas oublié. Il avait dû descendre à la ville chez le notaire, certifier qu'en tant que propriétaire d'Ombre Blanche il refusait aux fous qui en avaient fait la demande le droit de creuser des trous dans la centaine d'hectares arides qui lui appartenaient.

Comme s'il n'y avait pas assez de trous dans les Causses !

Des représentants de la société Flirgon lui avaient offert une fortune pour qu'il change d'avis, il les avait envoyé balader. Du zinc ! Il ne manquait plus que ça ! Du zinc ! Pourquoi pas du charbon ou de l'uranium ?

Et il n'avait pas besoin de leur argent ! Les quelques pièces et billets qu'il serrait dans son vieux portefeuille suffisaient à ses besoins.

Il descendait deux fois par mois à Saint-Sauveur afin de se ravitailler. Une belle marche, cinq heures pour l'aller, davantage pour le retour, vu qu'il était chargé et plus tout jeune. Le reste du temps, il cultivait son maigre lopin et menait paître un troupeau de chèvres aussi sauvages que lui.

Il passait des heures assis sur une dalle de rocher blanc à regarder le vent dessiner des arabesques dans l'herbe folle des Causses, ou à sculpter une branche qu'il offrait ensuite au ciel en la plantant au sommet d'une butte.

Il était heureux. Profondément heureux. Et il se tenait loin des hommes.

C'était avant qu'il ne rencontre les enfants perdus...

... C'est l'hiver. Un mois de février glacial sur lequel souffle un vent aussi acéré qu'un rasoir. Maximilien marche depuis une bonne heure. Sans plaisir pour une fois. La chevrette s'est déjà enfuie, d'accord, mais jamais aussi loin et le soir approche. Il décide de renoncer à ses recherches, elle reviendra bien toute seule. Puis il se ravise, incapable d'abandonner une de ses bêtes, et gravit la Dent de l'Ouille pour prendre de la hauteur et tenter de découvrir la fugitive.

C'est de là-haut qu'il les aperçoit, au fond de la combe Nerre, écrasés par la perspective : deux insectes minuscules, l'un portant l'autre à travers l'un des endroits les plus inhospitaliers des Causses. Il en oublie la chevrette et, retrouvant l'agilité de ses vingt ans, se laisse glisser d'éboulis en barres rocheuses jusqu'à les surplomber d'une vingtaine de mètres.

Deux enfants.

Un garçon épuisé, couvert d'écorchures, qui continue à avancer bien qu'à bout de forces, ses jambes menaçant à tout moment de flancher sous lui, tremblant de fatigue et de froid.

Une fille, ce doit être une fille même si elle n'a plus un cheveu sur le crâne, immobile dans les bras du garçon. Inanimée. Ces deux-là ont souffert, souffrent encore. Maximilien le sent, il sent ces choses-là.

Alors, quand le garçon dépose la fille à l'abri d'un rocher, quand il quitte son tee-shirt déchiré pour l'en envelopper, quand il se penche pour lui murmurer une prière à l'oreille, alors Maximilien oublie sa promesse de se tenir loin des hommes.

Il descend vers eux.

Le garçon esquisse un geste de défense, mais Maximilien le rassure en lui montrant ses mains vides. Des mains calleuses, puissantes malgré l'âge. Il se baisse, prend la fille dans ses bras. Un frisson de colère le parcourt.

Elle est dans un état effroyable, le corps décharné, la peau diaphane, une cicatrice récente zigzague sur son flanc.

Dans une imprécation silencieuse, Maximilien maudit la folie des hommes, leur cruauté et leur ignorance.

Il se met en route, suivi par le garçon qui n'a pas prononcé un mot. Il ne sait pas encore ce qu'il va faire d'eux. Faire d'elle. La soigner, certes, mais ensuite ?

Tout en pensant, il marche à grands pas. Tout en marchant, il réfléchit à grands traits. Il atteint Ombre Blanche au moment où le soleil bascule derrière l'horizon, teintant les Causses d'une somptueuse lumière orangée. Un frémissement dans ses bras lui fait baisser la tête. La fille a bougé.

Elle ouvre les yeux.

Échange fugace.

Échange parfait.

Maximilien se noie dans le violet de son regard et en ressort grandi.

Le dernier des Caussenards a trouvé son destin.

2

En revenant avec ses chèvres vers Ombre
Blanche, Maximilien découvrit Salim en train de
remonter un muret de pierres sèches que le vent
et la pluie avaient écroulé. Le garçon avait ôté son
tee-shirt et travaillait torse nu, sa peau noire lui-
sant sous le soleil printanier. En deux mois, il s'était
parfaitement rétabli, sa vilaine blessure à la cuisse
n'était plus qu'un souvenir ; l'air pur des Causses
avait joué son rôle.

Hormis en Algérie, Maximilien n'avait jamais ren-
contré personne à l'épiderme aussi basané. Le vieux
berger était toutefois exempt des préjugés raciaux
qui salissent le monde, il ne voyait en Salim qu'un
futur adulte plein de promesses, peu importait sa
couleur. Il appréciait l'humour du garçon et la sim-
plicité avec laquelle il s'était mis au travail à ses
côtés. Il aimait également le silence que Salim savait
respecter alors qu'il devinait en lui un incorrigible
bavard. Et il aimait surtout le lien qui unissait les
deux enfants.

Étrange qu'il soit incapable de les voir autrement que comme des enfants. Ils étaient depuis longtemps sortis de l'enfance dans leurs corps et dans leurs têtes... Cela était dû à la première vision qu'il avait eue d'eux, mais aussi à la force qui se dégageait de leurs regards lorsque leurs yeux se croisaient. Une force qu'il fallait être très jeune... ou très vieux pour posséder.

En l'apercevant, Salim leva le bras et vint à sa rencontre.

– Bon travail, jugea Maximilien en observant le muret.

Un sourire satisfait fendit le visage de Salim.

– Je commence à prendre le coup, admit-il. Dans moins de trois jours j'aurai fini.

– Est-ce important ?

– Quoi ? s'étonna Salim. Important de réparer le mur ? Je croyais que vous souhaitiez que je le fasse...

– Non, remonter ces vieilles pierres est une tâche noble et utile. Je parlais du temps. Est-ce nécessaire d'y passer trois jours plutôt que trois semaines ou trois mois ? L'essentiel n'est-il pas de travailler et que le muret revive ?

– Euh... Je suis désolé, je ne comprends pas. Si je bosse vite, c'est mieux, non ?

Un bref sourire illumina le visage buriné de Maximilien. Incroyable la rapidité avec laquelle il s'était attaché à ce garçon.

– Ce n'est pas forcément mieux, bonhomme, mais c'est normal que tu le croies.

Ce surnom affectueux fit naître chez Salim le souvenir de Maniel. Dans ses rêves, il entendait encore l'impact des balles qui se logeaient dans le corps de son ami, il le voyait s'effondrer, ensanglanté, pour se relever et leur offrir la liberté au prix de sa vie.

Il ferma un instant les yeux tandis que sa bouche se tordait en un douloureux rictus.

Maximilien l'observa, silencieux. Il ne savait rien de ce qu'avaient vécu les enfants. Il ne leur avait rien demandé et ne souhaitait rien savoir. Il devinait simplement qu'ils s'étaient échappés, fuyant une atrocité sans nom, et que s'ils avaient réussi à semer leurs poursuivants, leurs cauchemars, eux, ne les lâcheraient pas de sitôt. Il offrit à Salim la seule porte de sortie qui avait le pouvoir de le rasséréner.

– Comment va-t-elle ?

La magie opéra une fois de plus. Le regard de Salim étincela.

– Mieux de jour en jour. En partant, je l'ai laissée assise au soleil devant la ferme. Ce matin, elle a encore essayé de parler, elle a presque réussi. Elle va y arriver, pas vrai ?

C'était une affirmation plus qu'une question. Maximilien se contenta de hocher la tête. Camille était loin d'être guérie. Le vieux berger se demandait parfois s'il n'aurait pas été plus sage de la descendre en ville pour qu'un docteur s'occupe d'elle, mais la seule fois où il avait évoqué cette possibilité, Salim s'y était farouchement opposé tandis que, dans ses yeux à elle, une terreur hideuse s'était mise à briller. Il avait renoncé, soulagé de ne pas avoir à affronter le monde et surtout respectueux de leur choix et de leurs secrets.

Salim s'occupait de la petite. Comme un père. Comme une mère. Comme un homme éperdument amoureux. Elle avait depuis peu recouvré la maîtrise de son corps et de ses mouvements. Pendant des semaines il l'avait portée, nourrie, lavée, veillant sur son sommeil, calmant ses brutales crises d'angoisse en lui murmurant des paroles réconfortantes, prévenant le moindre de ses désirs. Elle le suivait de ses immenses yeux violets, son regard chargé de toute la reconnaissance qu'elle était incapable de formuler.

Camille ne parlait pas. Son corps se régénérait lentement, ses cheveux repoussaient, ses plaies se cicatrisaient… sa voix ne revenait pas. Elle ouvrait parfois la bouche dans une tentative désespérée puis la refermait sans que le moindre son en soit sorti. Maximilien sentait qu'il n'y avait là rien de physiologique, les cordes vocales de la petite n'étaient pas atteintes, sa gorge était intacte. Un mur se dressait simplement dans son esprit, un mur qui l'empêchait de parler, un mur qu'elle seule pouvait abattre. Qu'elle abattrait un jour. Ou jamais.

– On y va ? Un ragoût nous attend à Ombre Blanche et je meurs de faim…

C'était faux, bien sûr. Le vieux berger avait pris, au fil des ans, l'habitude de se nourrir d'un rien. Il se contentait le plus souvent d'un oignon, d'un picodon et d'une tranche de pain, repas frugal qui lui tenait au corps toute la journée.

L'arrivée de Salim avait bouleversé ses habitudes. La petite ne mangeait guère plus qu'un oiseau ; le garçon, en revanche, avait l'appétit d'ogre des adolescents en pleine croissance. Il dévorait et avait toujours faim. Pour lui, Maximilien avait dû se remettre à cuisiner et, afin de ne pas le gêner, il s'asseyait à table à ses côtés.

Salim enfila son tee-shirt rapiécé et suivit le berger. Quand ils atteignirent Ombre Blanche, le soleil était au plus haut dans le ciel. Le toit de lauzes étincelait, la source chantait dans sa vasque de pierre. Assise dans un fauteuil près du mur de la ferme, Ewilan, les yeux clos, baignait dans la lumière.

Salim se précipita et s'agenouilla à ses pieds. Elle souleva les paupières, sourit en le découvrant.

– J'ai bossé comme un chef, ma vieille ! Les Chinois vont bientôt faire appel à moi pour réparer la Grande Muraille ! Je suis sûr que...

Il se tut. Ewilan avait porté la main à sa joue. Elle la caressa doucement du bout des doigts alors qu'une vague brûlante déferlait sur le garçon. Elle n'avait pas eu un geste d'une telle précision depuis... Elle ouvrit la bouche.

– Salim...

Voix rauque, éraillée. Portée par un sentiment plus fort que la mort.

– Salim... je t'aime.

3

Cette déclaration marqua la renaissance d'Ewilan.

Pour le plus grand bonheur de Salim, partagé avec discrétion par Maximilien, elle réapprit à marcher seule, à prendre soin d'elle-même et surtout à communiquer.

Ses premières phrases, prononcées d'une voix hésitante, souvent indistincte, la laissaient épuisée. Formuler une pensée simple lui demandait parfois plus d'une minute et ses accès de mutisme revenaient de manière récurrente. Elle réalisait toutefois des progrès rapides et réguliers. En quelques semaines, elle récupéra une élocution normale.

Ses cheveux encore très courts encadraient son visage d'une aura de mèches folles. Ses yeux ressortaient, plus grands et violets que jamais, dans des traits que la souffrance avait aiguisés, contrastant avec la pâleur de sa peau qui tardait à retrouver son hâle malgré les longues siestes qu'elle effectuait au soleil. En la voyant regagner peu à peu sa souplesse et son tonus, Salim prenait conscience du gouffre dans lequel l'Institution l'avait plongée. Il s'en était fallu de si peu qu'elle... Il n'osait achever sa pensée. La vie sans elle était inenvisageable !

Si Salim était pour beaucoup dans la guérison d'Ewilan, Maximilien, et plus largement Ombre Blanche, avaient aussi joué un rôle essentiel. Le vieux Caussenard parlait peu mais sa voix était toujours posée, douce bien qu'éraillée. Apaisante. Il savait économiser ses gestes que l'âge et l'expérience avaient dotés d'une harmonieuse efficacité. Sa présence, discrète, dégageait une impression presque palpable de sérénité. Un compagnon idéal pour qui désirait retrouver la paix.

La ferme était à l'image de son propriétaire. Solide et tranquille. Des épais murs de pierre émanait une force rassurante, renforcée par les lauzes argentées du toit bas et le mobilier simple et massif. Ombre Blanche était un refuge, un cocon de pierre et de bois dans lequel s'opérait la convalescence d'Ewilan.

Maximilien possédait un troupeau de chèvres, des bêtes sauvages à la musculature sèche avec lesquelles il parcourait chaque jour des kilomètres à la recherche de pâturages. Si les chèvres d'Ombre Blanche avaient mis du temps à s'habituer à la présence de Salim, elles avaient immédiatement adopté Ewilan et il n'était pas rare qu'en rentrant à la ferme, Salim et Maximilien trouvent un des chevreaux de l'année endormi dans les bras d'Ewilan, assoupie elle aussi, le troupeau broutant sans inquiétude à proximité. À leur façon, ces bêtes et la confiance qu'elles lui témoignaient avaient également contribué à la sauver.

Toute son énergie concentrée sur la guérison de son amie, Salim n'avait pas encore évoqué ce qui s'était passé pendant ces trois semaines d'enfer. Il avait peur d'en apprendre plus qu'il ne pourrait en supporter et, surtout, il craignait la réaction d'Ewilan à l'annonce du sacrifice de Maniel. Il s'appliquait donc à rester vague lorsqu'elle lui demandait, de plus en plus fréquemment, des précisions sur sa libération.

Le dessin constituait un autre sujet tabou. Ewilan n'arpentait plus les Spires. Salim en avait conscience, mais il ignorait s'il s'agissait d'un choix délibéré ou d'une conséquence de son emprisonnement. Peu lui importait d'ailleurs qu'elle soit ou non en possession d'un pouvoir quelconque, il l'aimait telle qu'elle était au moment où il la regardait. Il savait néanmoins combien l'Art du Dessin était essentiel pour elle et ne voulait pas risquer de la blesser en lui rappelant une probable mutilation de son Don. Il attendait donc qu'elle fasse le premier pas.

Elle ne le faisait pas.

Le vent souffle presque en continu sur les Causses et leur végétation rase. Un vent toujours violent qui peut parfois être terrible. Des rochers blancs aux formes arrondies, grêlés d'une multitude de trous, sont les seuls abris accessibles au promeneur égaré souhaitant se protéger du sifflement incessant qui l'assaille.

Salim et Ewilan étaient assis derrière un de ces rochers, les jambes étendues, le visage agréablement caressé par le soleil qui prenait des poses estivales dans un ciel bleu marine. Ewilan passa la main dans ses cheveux, finissant de les ébouriffer, avant de se tourner vers Salim.

– Qui commence ? lui demanda-t-elle avec le sourire las qui était désormais le seul qu'elle possédât.

Salim tenta une diversion.

– Qui commence quoi ?

Ewilan se contenta de l'observer.

– C'est bon, ma vieille... Qu'est-ce que tu veux savoir ?

– Ce qui s'est passé à l'Institution. Dans quel état tu m'as trouvée. Comment tu as réussi à me tirer de là. Il faut que je sache pour comprendre et il faut que je comprenne si nous voulons avoir une chance de nous en sortir.

– Ce n'est pas indispensable, tu sais. Lorsqu'on les a quittés, les chemins sombres sont faits pour être oubliés.

– Salim...

Il lui lança un regard implorant qui ne l'attendrit pas. Il envisagea alors de mentir, de lui dissimuler une partie du cauchemar, la mort de Maniel... La confiance absolue qu'il lut dans ses yeux violets lui interdit cette dérobade. Le moment était venu de parler. Il prit une profonde inspiration, baissa la tête, contempla fixement ses mains ouvertes posées sur ses genoux. Puis il commença son récit.

Elle l'écouta sans bouger, attentive au moindre mot, à la moindre hésitation, au moindre silence. Elle ne lui posa aucune question, se contentant de boire ses paroles et, à travers elles, de s'imprégner de ce qu'il avait vu et vécu.

D'abord réticent, Salim se laissa bientôt aller. Ses phrases coulèrent, ses mains s'animèrent, il oublia l'endroit où il se trouvait pour effectuer un bond dans le passé. Il raconta tout : la traque, l'attente, les tentatives avortées, sa blessure, les poursuites, la faim et la peur. Il parla de la première vision qu'il avait eue d'elle, du Ts'lich et d'Éléa Ril' Morienval. Il évoqua enfin Maniel, son intervention qui lui avait sauvé la vie et le sacrifice auquel il avait librement consenti pour leur donner une chance de s'échapper.

– J'ai réussi à te faire passer la clôture, je t'ai portée à travers la forêt toute la nuit et une partie du lendemain. Tu étais inconsciente, si légère et pourtant si lourde... J'ai évité les villages, volé de quoi ne pas mourir de faim, je me suis enfoncé dans les Causses. Je ne pouvais faire confiance à personne, tu comprends ? Et puis Maximilien est arrivé. Juste à temps.

Il se tut, leva les yeux. Les larmes qu'il découvrit, ruisselant sur les joues d'Ewilan, l'anéantirent. Avec un sanglot rauque, elle se jeta dans ses bras, enfouit son visage dans le cou de son ami.

– Maniel...

Un cri. Une plainte. Une déchirure.

Elle pleura longtemps tandis que Salim, bouleversé, la berçait en lui murmurant des mots absurdes, incapable de trouver mieux pour la réconforter. Quand enfin elle se calma, elle se dégagea doucement de son étreinte, lui effleura les lèvres du bout des doigts, s'essuya les yeux avec sa manche.

– Tu es un être unique, murmura-t-elle. Où as-tu trouvé la force d'agir ainsi ?

Le sourire de Salim valait toutes les réponses du monde. L'amour qu'il lui offrait se répandit en elle comme un baume. Elle put ainsi affronter la douleur causée par la disparition de Maniel sans s'y noyer.

– Il a brûlé, Salim. Il a brûlé pour que je vive...

– Brûlé ?

– Maniel est devenu homme-lige en prêtant un serment qui met en œuvre des puissances considérables. C'est ce que j'ai tenté de t'expliquer avant que nous ne quittions Gwendalavir. Un homme-lige engage son honneur et sa vie en jurant allégeance à une famille ou à une personne. Le pouvoir qu'il en retire est proportionnel à la sincérité de son engagement. Lorsque ceux à qui il est attaché sont en danger, le vrai homme-lige, le pur, est investi d'une force qui peut effectuer des miracles. Toutefois, utiliser cette force le détruit. Le brûle. C'est le sacrifice ultime de l'homme-lige, celui auquel tous prétendent et auquel bien peu parviennent.

– Auquel ils prétendent ? Tu veux dire que Maniel... que Maniel est mort... heureux ?

– Je ne sais pas, Salim. Je ne sais pas, mais je voudrais tellement le croire.

Il y eut un long silence que Salim finit par rompre après s'être raclé la gorge, embarrassé.

– Dis, ma vieille, est-ce que... enfin... es-tu toujours capable de...

– Dessiner ? Non. Même pas un semblant d'esquisse délavée !

Salim s'attendait à cette réponse. Il fut en revanche sidéré par le sourire dur et froid de son amie.

– Ça ne t'inquiète pas ?

– Bien sûr que si ! Nous sommes coincés dans ce monde, poursuivis par des scientifiques fous qui veulent ma peau, menacés par une milice peut-être gouvernementale et assoiffée de sang. Éléa Ril' Morienval est mêlée à tout ce qui arrive, un Ts'lich rôde... Je m'inquiète beaucoup.

– Tu...

– J'ai perdu le chemin des Spires, c'est vrai, pourtant je te jure que je vais le retrouver. D'abord parce que notre vie est en jeu, ensuite...

– Oui ?

– J'ai une dette, Salim. Et je paie toujours mes dettes !

Salim sourit largement. Ewilan était de retour, telle qu'il la connaissait, telle qu'il l'aimait, telle qu'il...

Une flamme nouvelle dans le violet de ses yeux interrompit sa litanie intérieure. Une flamme inquiétante, presque effrayante. Salim se ravisa. Ewilan avait changé !

Et il n'était pas sûr d'apprécier le changement.

4

La plupart des chèvres d'Ombre Blanche avaient mis bas à la fin du mois de mars. Une seule en cette deuxième moitié de printemps était encore gravide. Maximilien la surveillait attentivement.

– Les chèvres ont souvent deux petits par portée, expliqua-t-il à Salim. Elles se débrouillent seules pour leur donner naissance, il faut juste veiller à ce qu'elles les acceptent immédiatement sinon, par la suite, elles refuseront de les nourrir. C'est simple mais à chaque fois qu'une des miennes a prolongé ses galipettes amoureuses avec le bouc au-delà de l'automne, j'ai eu des problèmes à la délivrance. Une fois parce qu'elle portait trois chevreaux, une autre parce qu'ils se présentaient mal, une autre encore parce que la mère était malade… J'en suis devenu superstitieux. La Roumègue a près de deux mois de retard sur les autres, je suis certain qu'elle nous prépare un sale tour !

Le vieux berger ne se trompait pas. En plein milieu de la nuit, Salim fut réveillé en sursaut par des bêlements angoissés qui provenaient de l'étable.

En un instant il fut debout. Ewilan ouvrit un œil.

– Que se passe-t-il ?

– C'est la Roumègue, lança-t-il. Maximilien avait prévu des ennuis !

Il se rua hors de la pièce. Maximilien l'avait devancé. Il œuvrait déjà, à genoux dans la paille, tentant de faciliter la parturition de la chèvre qui se débattait faiblement.

' – Trois petits, annonça-t-il. Si le premier sort, ça ira pour les autres.

À cet instant, la lampe-tempête qui éclairait la scène s'éteignit. Maximilien poussa un chapelet de jurons. Il faisait un noir d'encre dans l'étable, impossible de poursuivre ainsi.

– Salim, trouve-moi du pétrole, ordonna-t-il. Il y a un bidon à l'entrée de la ferme sur l'étagère du haut. Dépêche-toi, la Roumègue va y passer si je ne l'aide pas !

Salim n'eut pas le temps d'esquisser un geste. Une douce lueur envahit l'étable, rendant à chaque détail sa netteté et permettant à Maximilien de poursuivre sa tâche. Le vieux berger, concentré, ne leva pas la tête. Le cœur de Salim, lui, s'emballa.

Ewilan se tenait debout derrière eux, les mains tendues en coupe dans leur direction. La lumière jaillissait de cette coupe, inondant l'étable et leur avenir.

Le premier chevreau roula à terre. Il avait découvert le chemin de la vie.

Ewilan rayonnait de bonheur. Elle avait retrouvé celui de l'Imagination.

– Trois chevreaux en parfaite santé ! s'exclama Maximilien. Il faut fêter ça.

Faire la fête signifiait pour le vieux berger manger un morceau de tomme sur une tranche de pain en buvant un verre de vin de noix qu'il conservait pour les grandes occasions. Ils avaient festoyé ainsi lorsqu'Ewilan avait recouvré la parole et Salim gardait de cette soirée un souvenir de tranquille bonheur. Ils s'installèrent autour de la table massive qui trônait au centre de la pièce à vivre. Maximilien versa trois généreuses rasades de vin et leva son verre.

– À la Roumègue et à ses petits ! lança-t-il.

Salim et Ewilan l'imitèrent.

– Et aux faiseurs de lumière ! continua le vieux berger un ton plus bas.

– Maximilien, je... commença Ewilan.

– Je ne te demande rien, petite, l'interrompit Maximilien. Je n'ai jamais rien demandé à personne, ce n'est pas aujourd'hui que je vais commencer. Peu m'importe que tu sois Camille ou cette Ewilan dont le nom échappe si souvent à Salim, peu m'importe ce qui vous a conduits à vous cacher, vous êtes chez vous à Ombre Blanche.

– Je voulais juste vous dire que...

– Que tu es en train de guérir ? Que tu es différente ? Je le sais, petite, je le sais depuis que mes yeux sont tombés sur toi. Et cela n'a aucune importance. Je suis juste heureux que ta première lumière ait jailli pour sauver la Roumègue. Elle n'a pas de pouvoir, la Roumègue, mais c'est une brave bête qui fait de beaux petits et je l'aime, elle aussi. Encore un peu de vin ?

Ewilan avait la gorge nouée. Depuis qu'elle avait découvert son don, un an plus tôt, elle s'était habituée à ce que ses proches le considèrent comme partie intégrante de sa personnalité. Bien sûr, Salim était capable d'en faire abstraction, ses amis également, mais Maximilien était le premier homme à s'en moquer éperdument. La sensation l'étourdissait un peu. Désorientée, elle se risqua dans les Spires. Elle n'avait pas réfléchi avant de dessiner la lumière dans l'étable, son instinct l'avait guidée. Peut-être n'avait-elle pas retrouvé toutes ses capacités…

Une bouteille de vin apparut devant Maximilien qui sursauta et, de surprise, faillit tomber de sa chaise.

Ewilan rougit devant le manque de délicatesse dont elle venait de faire preuve et s'empressa de s'excuser.

– Je suis désolée. Vraiment désolée. Je souhaitais savoir si je… si je pouvais encore…

– Apparemment tu peux, déclara le vieux Caussenard qui éprouvait quelques difficultés à calmer les battements de son cœur. Tu es rassurée ?

– Oui. Je suis en train de guérir, Maximilien.

– J'en suis enchanté. Tu m'as fichu une frousse de tous les diables, mais j'en suis enchanté. Reste à savoir ce que tu comptes faire de ça !

Il désignait la bouteille. Salim intervint.

– La boire, bien sûr ! Un saint-émilion grand cru 89 ! Je n'y connais pas grand-chose, mais ce ne doit pas être mauvais, non ?

– J'ai déjà du vin, précisa Maximilien.

Salim jeta un coup d'œil vers Ewilan qui hocha la tête. Le garçon prit une profonde inspiration et se lança.

– Vous n'avez peut-être pas envie de les connaître, mais il y a un certain nombre de choses que nous devons vous révéler. Camille s'appelle bien Ewilan. Elle possède un pouvoir exceptionnel puisqu'elle peut faire basculer dans la réalité tout ce qu'elle imagine. Habituellement nous vivons loin, très loin d'ici, mais Ewilan a été coincée par une bande de psychopathes qui ont entrepris de la disséquer. Elle s'est évadée et nous voilà. C'est tout.

Ce résumé très succinct de la situation laissa Maximilien de marbre.

– Vous restez les bienvenus à Ombre Blanche et je ne sais toujours pas ce que va devenir cette bouteille.

– Mais…

Le vieux berger entreprit d'expliquer sa pensée à un Salim perplexe.

– Il n'existe rien qui, en devenant réel, puisse me combler puisque la réalité me comble déjà. Je suis ici et maintenant, comme tous les êtres humains sauf que, contrairement à beaucoup, cela suffit à mon bonheur ! Je n'ai aucune envie que ça change, pour une bouteille ou quoi que ce soit d'autre que Camille bascule dans la réalité, comme tu dis.

Salim ouvrit des bras désarmés mais Ewilan, à son habitude, trouva le geste juste. Un petit saut dans l'Imagination et la bouteille disparut. Elle tendit ensuite son verre à Maximilien.

– Je reprendrais volontiers un peu de vin de noix. À la santé de la Roumègue qui nous tient éveillés à trois heures du matin. À la santé des Causses, du vent et des rochers. À la santé des hommes et de l'amitié.

Le vieux berger lui adressa un clin d'œil et lui remplit son verre. Ils se comprenaient.

Plus tard, alors que le sommeil reprenait ses droits, Salim appela doucement Ewilan.

– Tu as vraiment retrouvé ton pouvoir ?

Un murmure en réponse.

– À peine une parcelle, mais ça vient. J'ai confiance. Il me suffit d'avoir du temps.

Du temps…

5

À la mi-juin sur les Causses, bien que les nuits continuent à être douces, les journées se révèlent souvent étouffantes. Le vent, longtemps maudit par Salim, était devenu le seul allié capable de lutter contre la chaleur. C'est avec reconnaissance que le garçon offrait sa peau nue au souffle tiède qui balayait le plateau lorsqu'il quittait Ombre Blanche avec Maximilien pour une rude journée de labeur à remonter les murets de pierres sèches écroulés depuis des années.

Le vent soufflait ce jour-là, alors que Salim gravissait la Dent de l'Ouille. Maximilien avait maintes fois évoqué le spectacle que l'on découvrait du sommet du piton rocheux, incitant le garçon à en effectuer l'ascension. Il s'était en revanche étonné qu'il choisisse une journée aussi chaude pour se lancer dans l'entreprise mais, à son habitude, n'avait pas tenté de l'en dissuader.

Maximilien s'était installé avec son troupeau sur une aire herbeuse protégée du soleil par l'ombre de la Dent, à l'opposé de la combe Nerre.

De temps à autre, il levait la tête pour observer Salim. Un sourire triste errait sur ses lèvres. Les enfants le quitteraient prochainement, il le savait alors qu'eux n'en avaient pas encore conscience, et il faisait provision de souvenirs puisque la solitude allait revenir. Il ne craignait pas cette vieille comparse – ils avaient si longtemps vécu en tête-à-tête –, mais les deux petits lui manqueraient...

Salim sentait ses muscles jouer avec une souple efficacité. L'enseignement d'Ellana avait commencé à modeler son corps, lui offrant des capacités auxquelles, plus jeune, il se contentait de rêver et qui n'étaient que l'ébauche de celles qu'il posséderait bientôt. Il était loin le temps où, en voulant la suivre dans l'escalade d'une falaise, il avait failli s'écraser au sol et n'avait dû la vie sauve qu'aux prodigieux talents de celle qui deviendrait son mentor. Il était désormais apte à se sortir de situations bien plus périlleuses et gravir la Dent de l'Ouille, pourtant escarpée, n'était pour lui qu'une simple promenade.

Il attrapa une dernière prise et se hissa au sommet du piton. Pas le moindre brin d'herbe ici, des dalles de rocher blanc, des éboulis, un soleil déjà écrasant malgré l'heure matinale et, comme prévu, un panorama à couper le souffle.

Les Causses s'étendaient sous ses yeux dans toute leur splendeur, immensité sauvage que nulle construction, nul pylône, nulle route ne déparait. Au nord, une chaîne de montagnes boursouflait l'horizon tandis qu'au sud, le plateau rocailleux s'enfonçait brutalement pour céder la place à une masse d'un vert sombre que Salim connaissait bien : la forêt de Malaverse.

Un éclat de lumière attira son regard, au pied du seul versant vertical de la Dent de l'Ouille. Il s'approcha du vide et, curieux, se pencha. Il eut beau fouiller des yeux le dédale de rochers, il ne découvrit rien. Convaincu d'avoir été victime d'une illusion, il se détournait lorsqu'un nouveau scintillement se produisit. Cette fois-ci, Salim en repéra l'origine.

Une pointe d'inquiétude vrilla son ventre. Il s'allongea sur une dalle, parfaitement immobile et silencieux. Deux hommes sortaient de la combe Nerre. C'était la réflexion du soleil sur leur équipement qui avait produit l'éclat de lumière. La réflexion du soleil sur leurs fusils !

Salim se rassura très vite. Les inconnus n'étaient pas vêtus de la combinaison noire qu'il redoutait et, bien qu'il soit trop loin d'eux pour en être certain, leurs armes paraissaient être des fusils de chasse et non des kalachnikovs d'assaut. Des chasseurs. De simples chasseurs au vu de la tenue de camouflage kaki qu'ils portaient l'un et l'autre, assortie de l'inévitable casquette.

Ils se dirigeaient vers le nord et le chemin qu'ils suivaient couperait la zone de pâture du troupeau de Maximilien. Comment le vieux berger allait-il réagir à la présence de chasseurs sur ses terres ?

Salim fronça les sourcils. Au mois de juin la chasse était fermée, les deux hommes étaient donc des braconniers ! Par définition peu sympathiques, d'accord, mais pas dangereux. Par contre, que venaient-ils chercher dans les Causses ? Le gibier était pauvre, quelques lapins, des rapaces, rien qui justifiât une si longue marche d'approche.

Et pourquoi arriver du sud alors que le village le plus proche, Saint-Sauveur, se situait plein ouest ?

Salim se leva, un brutal pressentiment accélérant les battements de son cœur. Les chasseurs avaient dépassé la Dent de l'Ouille. Ils se séparèrent, l'un poursuivant tout droit tandis que l'autre amorçait un mouvement tournant vers la droite. Ils avaient sans doute repéré leur gibier.

Salim se mit à courir. Les trajectoires des deux hommes ne laissaient pas de doute sur la nature de ce gibier.

Maximilien !

Le vieux berger contemplait ses chèvres avec satisfaction. La Roumègue avait magnifiquement récupéré. Elle était vive, le poil brillant et ses trois petits gambadaient autour d'elle, pleins de l'ardeur de la jeunesse. Camille aurait bien voulu les garder près d'elle, mais, sans qu'il ait eu besoin de le lui demander, elle les avait laissés partir avec le troupeau, consciente que c'était leur place, qu'ils ne seraient bientôt plus ces peluches affectueuses qu'elle aimait caresser. Camille. Ewilan…

Elle était si différente de lui. Elle jeune, lui vieux. Elle menant une vie qu'il devinait aventureuse alors que la sienne était ascétique. Elle dotée d'un impressionnant pouvoir, lui ne possédant que quelques chèvres et une poignée d'hectares de terre aride… Ils étaient si différents et pourtant… Jamais Maximilien ne s'était senti aussi proche de quelqu'un. Depuis le premier jour. Depuis le moment précis où elle avait ouvert les yeux, où leurs regards s'étaient croisés. Un sentiment exaltant qui gommait leurs différences pour lui offrir...

Un changement infime dans la teneur du silence, à moins que ce ne fût un avertissement chuchoté par le vent, lui fit lever la tête et scruter les environs. Il se passait quelque chose. Maximilien était trop intimement lié à la terre des Causses pour ne pas percevoir immédiatement, par une multitude d'indices, la présence d'un étranger. Lorsque le chasseur apparut, il était debout et l'attendait.

Le vieux Caussenard n'aimait pas particulièrement les chasseurs, mais il n'avait rien contre eux. D'abord parce que la chasse avait nourri bon nombre de ses ancêtres, ensuite parce qu'il n'y avait rien à chasser autour d'Ombre Blanche et donc pas de chasseurs avec qui se quereller. Ou très peu.

Celui qui approchait n'était pas du coin. Trop grand, trop large, l'allure lourde de ceux qui marchent rarement. Une pointe d'inquiétude se mêla à la curiosité de Maximilien. La coutume voulait qu'en croisant quelqu'un, un chasseur casse son fusil ou le replace à l'épaule. Apparemment, celui-ci ignorait la coutume, à moins qu'il y contrevienne volontairement. Il était à dix mètres et tenait son arme pointée sur Maximilien.

Non, il le mettait en joue !

Le berger n'eut que le temps de serrer les poings, une forme animale sombre bondit sur le chasseur qui bascula en arrière. Le coup de feu partit, la balle – c'était bien une balle et non des plombs ! – se perdit en l'air.

En tombant, le crâne de l'homme heurta une pierre. Il ne bougea pas lorsque la bête le libéra de son poids. Maximilien écarquilla les yeux. Un loup ! Un loup venait de lui sauver la vie, un loup au torse puissant et à la fourrure noire, un loup qui à présent le dévisageait comme s'il voulait lui parler.

Le berger cligna des yeux. Une fois. Le loup avait disparu. Aussi rapide et insaisissable qu'une ombre, il s'était faufilé derrière un rocher, abandonnant le corps immobile du chasseur comme preuve d'une existence à laquelle, sinon, Maximilien n'aurait pas cru.

Le vieux Caussenard marqua un temps d'hésitation puis s'approcha de l'homme étendu sur le sol. Il n'arrivait pas à croire que quelqu'un, un inconnu de plus, ait souhaité l'assassiner. C'était au-delà de tout ce qu'il pouvait imaginer. Et avoir été secouru par un loup ! Il n'y avait plus de loup dans les Causses depuis plus d'un siècle !

Le chasseur était simplement assommé. Sa respiration était régulière et il ne saignait pas. Maximilien se saisit du fusil avec dégoût. La guerre d'Algérie lui avait laissé une solide aversion des armes à feu, ces objets conçus pour tuer en une fraction de seconde ce que la nature mettait des années à créer. Il le fit tournoyer au-dessus de sa tête et l'envoya valdinguer au loin. Un cri le fit alors se retourner.

Le loup avait reparu et, pour la deuxième fois en quelques minutes, venait de lui sauver la vie. Pendant que Maximilien contemplait l'inconnu assommé, un autre homme, également armé d'un fusil de chasse, s'était glissé dans son dos. Un deuxième assassin !

Il était maintenant aux prises avec un animal décidé à l'égorger et en passe de réussir. Le chasseur avait lâché son arme sous l'impact des soixante kilos de muscles qui lui étaient tombés dessus. Il avait roulé à terre et se protégeait de son mieux des assauts d'un adversaire bien plus puissant que lui.

– Ne le tue pas !

Maximilien avait crié. Sans réfléchir. Sans savoir si le loup avait une chance de l'entendre. De lui obéir. Il ne fallait pas que l'homme meure, c'était essentiel !

Contre toute attente, l'animal parut comprendre. Avec un grognement sauvage, il lâcha sa proie. Le chasseur, terrorisé, rampa sur une dizaine de mètres avant d'oser se lever. L'œil hagard, il tourna les talons et s'enfuit.

Pendant le double affrontement, les chèvres s'étaient égaillées. Maximilien se retrouva seul face au loup, incapable de savoir comment agir. Son hérédité, son métier de berger, lui criaient de se méfier, son intuition lui soufflait qu'il ne risquait rien. La silhouette du loup ondula soudain. Comme un mirage de chaleur chassé par le vent, l'animal disparut.

Maximilien s'assit dans l'herbe, trop stupéfait pour rester debout.

À la place du loup se tenait Salim, accroupi, le regard sauvage.

Nu comme un ver.

6

– Qu'est-ce que... balbutia Maximilien.

Sa sagesse et sa sérénité venaient de voler en éclats devant un phénomène auquel il ne parvenait pas à croire, bien qu'il l'ait constaté de ses propres yeux. Le petit, un loup !

Il tourna la tête, cherchant une explication, un soutien pour son esprit qui vacillait. Le premier chasseur avait repris connaissance et se redressait, titubant. Il n'accorda pas la moindre attention au berger et, tout en jetant de fréquents coups d'œil autour de lui, s'éloigna en direction de la combe Nerre.

L'inconnu parti, il ne restait plus aucune preuve de ce qui était arrivé. Maximilien avait dû être victime d'un malaise, voilà pourquoi il était assis par terre. Pas d'assassins, pas de loup et Salim...

– Ça va ? s'enquit le garçon qui s'était approché.

Maximilien se passa la main sur le front. Salim était toujours nu mais, sur son visage, l'inquiétude l'emportait sur la gêne.

– Je n'ai pas rêvé, n'est-ce pas ? bredouilla le berger.

– Non.

– Tu peux vraiment te transformer en...

– En loup, oui. Je n'étais pas certain d'y parvenir ici et, pour être honnête, j'évite de le faire parce que c'est toujours pénible et délicat mais là, je n'avais pas le choix. J'ai aperçu ces deux types du haut de la Dent de l'Ouille. C'est vous qu'ils traquaient, ils vous auraient abattu ! Si je ne m'étais pas métamorphosé, je n'aurais jamais pu intervenir à temps.

– Tu es... une sorte de loup-garou ?

Salim s'agenouilla près de Maximilien.

– Non, murmura-t-il, je suis Salim. Aucune malédiction ne pèse sur moi, je suis libre de mes actes. Libre d'aider mes amis quand ils sont en danger comme ils m'ont aidé quand j'étais dans le besoin.

– Mais je t'ai vu... tu es...

– Je suis Salim, vous dis-je, le Salim que vous connaissez. J'ai conscience que c'est difficile à croire, mais ne doutez pas de moi. Ne me diabolisez pas...

Le visage de Maximilien retrouvait lentement ses couleurs. Il acceptait peu à peu la réalité de la transformation de Salim et il aimait trop le garçon pour que cette particularité singulière gâche leur relation. L'attaque dont il venait d'être victime passa au premier plan de ses préoccupations. Il s'appuya sur l'épaule du garçon et se releva.

– Pourquoi ? Pourquoi ces hommes voulaient-ils me tuer ? Je n'ai pas d'ennemis et, à part Ombre Blanche, je ne possède aucun bien. Es-tu certain que ce n'est pas Camille et toi qu'ils recherchaient ?

– Sûr et certain. J'ai observé leur manège depuis la Dent de l'Ouille. Ils n'ont pas hésité une seconde.

Les mots du berger avaient toutefois jeté le trouble dans l'esprit de Salim. Ewilan était-elle en danger ? Son pouvoir était trop fragile pour qu'elle s'en sorte seule si des tueurs déterminés s'en prenaient à elle.

– Je crois quand même qu'il faudrait qu'on parle de tout ça avec elle, lança-t-il. Je vous précède et on se retrouve à Ombre Blanche, d'accord ?

Maximilien, sous le choc, opina et commença à rassembler ses chèvres. Salim partit en courant.

Il se rendit très vite compte que si sa nudité n'embarrassait que son sens des convenances, l'absence de chaussures était en revanche un véritable handicap. Cent mètres plus loin, il boitillait, la plante des pieds écorchée par les pierres des Causses. Moins pressé, il aurait ralenti le rythme ; là, il choisit de se transformer.

Un peu plus tôt, il avait agi dans l'urgence sans chercher à savoir si la métamorphose serait possible et il était devenu loup sans difficulté. Cette fois encore, ce fut d'une facilité déconcertante. Alors qu'il courait d'une foulée souple et infatigable, animal puissant aux sens redoutables, il se demanda brièvement pourquoi il avait toujours cru que ce don était limité aux frontières de Gwendalavir. Puis une joie bouillonnante l'emplit et il oublia tout pour goûter au bonheur d'être loup.

Il atteignit Ombre Blanche en quelques minutes. Ewilan était sortie de la faille qui abritait la ferme et scrutait le plateau avec inquiétude. Elle le reconnut alors qu'il déboulait sur elle. Elle se laissa tomber à genoux, empoigna l'épaisse fourrure de son cou et planta ses yeux dans ceux du loup.

– Que se passe-t-il ? le pressa-t-elle. J'ai entendu un coup de feu. Où est Maximilien ? Pourquoi t'es-tu transformé ?

Elle le tenait avec force et, lorsqu'il changea d'apparence, elle se retrouva collée contre lui, les bras noués autour de son cou.

– Bonjour, jolie demoiselle, susurra-t-il en essayant de lui voler un baiser.

Elle le repoussa si fermement qu'il bascula en arrière dans une position dont le ridicule, accentué par sa nudité, le fit virer à l'écarlate.

– Salim, s'emporta Ewilan, où est Maximilien ?

Il en oublia sa honte et reprit instantanément son sérieux.

– Deux hommes l'ont attaqué. Ils voulaient sa peau. Je les ai mis en fuite.

– Des assassins ? Ici, au milieu de nulle part ? Tu n'es pas sérieux… ou alors… il s'agissait de membres de l'Institution. Ils ont peut-être retrouvé notre trace…

Elle avait pâli. C'était trop tôt ! Son pouvoir avait beau croître de jour en jour, elle était loin d'avoir regagné la pleine maîtrise de ses facultés. Elle était encore incapable d'effectuer un pas sur le côté et ses incursions dans l'Imagination se limitaient aux Spires les plus basses, celles des débutants. Elle n'avait aucune chance dans un affrontement contre ceux de l'Institution, sans parler de combattre Éléa Ril' Morienval ou un Ts'lich.

Salim, qui avait croisé les mains devant son ventre pour masquer sa nudité, tenta de la rassurer.

– Cool, ma vieille ! Ces deux barjos n'avaient rien à voir avec les psychopathes de l'Institution !

– Comment peux-tu en être si sûr ?

– L'odeur, Ewilan, l'odeur ! Si tu savais combien nos sens sont atrophiés et à quel point les mondes qui s'ouvrent à moi quand je suis loup sont beaux. Les bruits, les effluves, les courants d'énergie… Je te garantis que les types qui ont attaqué Maximilien ne cherchaient que lui. Ils pensaient le trouver seul. Ils le pensent toujours, d'ailleurs, puisqu'ils ne m'ont pas vu.

Ewilan avait totalement confiance en Salim. Rassurée, elle lui jeta un regard narquois qui le fit se recroqueviller un peu plus.

– Pourquoi alors t'es-tu précipité à Ombre Blanche ?

– Tu ne comprends vraiment rien ou tu le fais exprès ? L'Institution n'est pas en cause, d'accord, mais Maximilien a tout de même été agressé et les types qui lui sont tombés dessus ne plaisantaient pas !

– Et tu as confié sa protection à ses chèvres !

– Ça, c'est mesquin ! Je lui ai sauvé la vie et si je l'ai précédé ici, c'est qu'il ne risquait plus rien et que je me faisais du souci pour toi !

– Enfin !

– Quoi enfin ?

– Tu as mis du temps, mais tu as fini par le dire.

Salim la contempla un long moment en silence tandis qu'un frisson de joie le parcourait de la tête aux pieds. Cela faisait des siècles qu'elle ne s'était pas laissée aller à ce genre d'assaut verbal…

– Bon sang que tu m'as manqué, murmura-t-il, la voix chargée d'émotion.

Les yeux violets d'Ewilan scintillèrent de plaisir. Elle hésita une poignée de secondes. Se jeter dans ses bras, l'embrasser pour lui dire combien il lui avait manqué lui aussi, ou poursuivre cette joute orale pleine de tendresse qui était un baume sur les blessures de son âme? Elle opta finalement pour ce dernier choix. Un peu à contrecœur, mais Salim était tout de même complètement nu...

– J'ai beau revenir de loin, tu as choisi une drôle de tenue pour me souhaiter la bienvenue. As-tu oublié que tu n'as pas de vêtements de rechange?

Les premières chèvres pointèrent leur museau à cet instant, bientôt suivies de Maximilien qui avait dû marcher à bonne allure pour gagner Ombre Blanche si vite. Leur arrivée finit de convaincre Ewilan qu'elle avait pris une décision judicieuse en retardant ses effusions sentimentales.

– Tout va bien, les petits? s'enquit le Caussenard dès qu'il fut près d'eux.

– Très bien, répondit Ewilan. Mais c'est vous qui étiez en danger. Salim m'a dit que...

– Vous n'auriez pas un pantalon et une chemise en trop? intervint le garçon.

Plus tard, Salim ayant enfilé des vêtements prêtés par Maximilien, ils se retrouvèrent autour de la table, à l'abri des murs d'Ombre Blanche.

L'agression dont il avait été victime perturbait le Caussenard. Il ne se faisait pas particulièrement de souci pour sa vie, mais il trouvait inconcevable qu'on lui en veuille puisqu'il ne possédait rien susceptible d'éveiller la convoitise et ne se connaissait aucun ennemi. Il exposa son étonnement à plusieurs reprises, jusqu'au moment où Ewilan lui coupa gentiment la parole.

– Vous faites fausse route, Maximilien. Plutôt que d'essayer de nous convaincre que ce qui s'est passé est impossible, vous devriez chercher qui vous en veut au point de désirer vous tuer.

– Personne, je te l'ai déjà dit !

– Et cette société à laquelle vous avez refusé le droit d'exploiter vos terres ?

– La Flirgon ? Les responsables d'une multinationale, même antipathiques, n'engagent pas de tueurs pour régler leurs problèmes.

– C'est un point de vue. Personnellement je pense que les tueurs à gages sont plus souvent employés par des multinationales s'estimant au-dessus des lois que par le boulanger du coin !

– C'est du délire, Camille ! Cette histoire date de trois ans. Si la Flirgon s'intéressait vraiment à mes terrains, elle aurait eu largement le temps de rechercher une faille dans mes titres de propriété ou je ne sais quoi d'autre pour m'obliger à céder.

– Et ses avocats ne trouvant rien, elle se serait résignée sans trop de peine à changer de méthode… Ne vous faites pas plus naïf que vous ne l'êtes, Maximilien. C'est la seule explication possible.

– Ces types étaient peut-être de vrais braconniers, tenta d'argumenter le berger.

– Non, intervint Salim. Un des deux portait un parfum luxueux qui ne correspond pas au personnage qu'il était censé incarner. Leurs vêtements étaient neufs et sentaient la ville. Leurs armes étaient chargées avec des balles. Vous avez bien été la cible d'assassins et non de chasseurs ayant perdu les pédales !

Maximilien poussa un juron et frappa du poing sur la table.

– Je refuse de le croire. C'est insensé !

– Nous serons vite fixés, énonça calmement Ewilan.

– Que veux-tu dire ?

– S'il s'agit réellement de simples braconniers, nous n'entendrons plus jamais parler d'eux.

– Et si c'est la Flirgon ? questionna Salim.

– Alors nous devons nous attendre à de la visite...

7

– **P**ssst, Ewilan...

Elle ouvrit les yeux. La nuit était complète, seul un rayon de lune s'infiltrant par un interstice des volets lui permit de distinguer la silhouette de Salim accroupie à ses côtés.

– Que se passe-t-il? murmura-t-elle, soudain parfaitement réveillée.

– Des hommes s'approchent de la ferme. Ils sont neuf. Armés. Ils arrivent de Saint-Sauveur et seront là dans moins de dix minutes.

Ewilan se glissa hors de son lit.

– Tu t'es...

– Oui. Je ne parvenais pas à dormir, je suis allé faire un tour et je les ai aperçus qui se dirigeaient par ici. Loup, j'ai pu les suivre sans qu'ils soupçonnent ma présence. Qu'est-ce qu'on décide? On réveille Maximilien?

– Non, attends. En cas de bagarre il ne sera d'aucune utilité. Il vaut mieux se passer de lui.

– Si ces gars débarquent ici, il se réveillera de toute façon!

– À nous de faire en sorte qu'ils n'atteignent pas Ombre Blanche. Dix minutes as-tu dit ? Cela nous laisse le temps d'aller à leur rencontre...

Les dents de Salim brillèrent dans l'obscurité.

– Tu te sens capable de t'occuper d'eux ?

– Sans problème. Ils ne se doutent pas de notre présence et encore moins de ce qui va leur tomber sur le coin de la figure. Pas besoin d'être Merwyn pour mettre une bande de lourdauds en fuite !

Elle montrait plus d'assurance qu'elle n'en possédait réellement. Salim s'en aperçut, mais s'abstint de lui préciser que neuf tueurs ne formaient pas vraiment une bande de lourdauds et qu'il était dangereux de préjuger de leurs réactions. Un point toutefois méritait d'être abordé.

– Si tu leur fais tomber une montagne sur la tête ou une autre attention de ce genre, ça risque d'attirer le Ts'lich, non ?

– C'est une éventualité en effet, mais peu probable. Je ne suis plus celle que j'étais, dans tous les sens du terme. Le bruit que feront mes dessins dans les Spires sera différent de celui que les Ts'liches guettent... et bien moins fort. Ne traînons pas, s'il arrivait quelque chose à Maximilien, je ne me le pardonnerais pas.

En silence, ils se glissèrent hors de la ferme. Une fois sorti de la faille, Salim commença à enlever ses vêtements.

– Désolé, ma vieille. Je ne sais pas ce que deviennent les habits que j'ai sur le dos quand je me transforme, mais une chose est sûre, ils disparaissent ! Et comme il est hors de question de mendier un autre pantalon à Maximilien...

La lune voilée ne dispensait qu'une pâle lueur. Tout à coup Salim ne fut plus là. À sa place se tenait le loup noir qu'Ewilan connaissait bien. Elle se baissa pour caresser son épaisse fourrure.

– Je crois que finalement je te préfère sous cette forme. Tu es doux, chaud et silencieux. Un amour de peluche que je...

La peluche en question la gratifia d'un grand coup de langue à travers la figure qui lui tira une grimace dégoûtée.

– Salim, tu n'es qu'un monstre mal élevé! Je te déteste!

Elle étouffa le rire qu'elle sentait poindre et ils s'élancèrent, pareils à deux ombres, lui débordant de vitalité animale, elle exultant de sentir son pouvoir palpiter à nouveau en elle.

Les tueurs étaient bien neuf et s'apprêtaient à se séparer pour interdire à leur cible toute possibilité de fuite. La consigne était claire. Le vieux devait mourir et sa mort être imputée à un accident de chasse. Les deux imbéciles qui avaient raté leur coup la veille avaient avancé une excuse idiote pour masquer leur incompétence et risquaient de le regretter amèrement.

Celui qui menait la troupe, un colosse vêtu comme ses comparses d'une tenue de camouflage, fit un signe péremptoire avec son fusil.

Trois hommes partirent à gauche, trois autres à droite et les deux derniers le suivirent.

Aux premiers incombait la distance la plus importante à parcourir. Ils accélérèrent l'allure, courant presque, le dos courbé dans une parodie de film de guerre qui aurait été comique, sans les armes qu'ils pointaient devant eux. Ils bondissaient par-dessus la maigre végétation, choisissant soigneusement leur itinéraire pour couper au plus court.

Celui qui était en tête se prit tout à coup les pieds dans un obstacle invisible, battit des bras, bascula en avant. Sa tête fit un bruit mat en heurtant un rocher. Ses compagnons l'entourèrent et l'un d'eux, se baissant pour le secouer, découvrit la corde enroulée autour de ses pieds.

– Un piège! cracha-t-il. Il faut...

Un craquement sourd retentit. Une pierre de belle taille roula à terre, suivie une seconde plus tard par le corps inconscient de l'homme qu'elle venait de frapper à la nuque.

Le dernier homme debout jeta une série de coups d'œil affolés autour de lui. La corde, un rocher tombant du ciel, le silence... La nuit lui parut soudain froide et hostile. Il leva son fusil à tout hasard, se demandant comment un honnête tueur à gages était censé agir dans une telle situation. Une sagaie se planta à ses pieds, le faisant bondir de frayeur. Qu'est-ce que...

Son sang se glaça dans ses veines tandis que son cœur ratait une pulsation. Une forme phosphorescente était apparue au bout de la sagaie...

Un crâne!

Un crâne auquel adhéraient des lambeaux de peau grouillants d'asticots! Un crâne humain figé dans un rictus effrayant!

Le tueur poussa un hurlement de terreur absolue, lâcha son arme et détala.

Ombre parmi les ombres, Ewilan s'enfonça dans la nuit.

Elle dut courir pour intercepter le deuxième groupe. Craignant que le chef et ses deux sbires n'atteignent Ombre Blanche avant qu'elle n'ait eu le temps d'intervenir, elle ne s'embarrassa pas de fioritures. Dès que sa cible fut en vue, elle se glissa dans l'Imagination.

Un trou s'ouvrit brutalement devant les trois hommes qui marchaient d'un bon pas. Trop proche pour qu'ils évitent la chute, trop profond pour qu'ils en sortent par leurs propres moyens. En tombant, l'un des tueurs dut se briser un membre, car un cri de douleur s'éleva, suivi d'une série d'appels angoissés. Ewilan était déjà loin.

Tout en pestant contre son manque de forme physique qui la faisait haleter alors qu'elle courait depuis moins d'une minute, elle rebroussa chemin vers Ombre Blanche. Salim l'avait quittée au moment où elle liait les chevilles du premier tueur. Où diable était-il à présent?

Un bruit d'affrontement lui fournit la réponse. Elle accéléra.

Les trois assassins avaient progressé plus rapidement que prévu. Ils étaient presque arrivés à la ferme lorsque le loup intervint. Il jaillit de l'obscurité comme une flèche, percuta l'un des hommes qui s'effondra. Ses crocs redoutables déchiquetèrent le bras droit de sa proie. Le sang gicla. Le loup se fondit dans la nuit sans qu'aucun tueur ait eu le temps de lever son arme.

– Bon sang! s'exclama le chef. Qu'est-ce que c'était?

Son comparse s'était agenouillé près du blessé qui pressait son bras contre lui en gémissant.

– Une bête! Un chien ou un loup je ne sais pas, mais il a sacrément amoché Kurt.

– Un loup, tu dis? C'est ce qu'ont prétendu...

De nouveau, la forme noire jaillit. Silencieuse. Mortelle. Elle visait l'homme à genoux. Le chef fut plus rapide malgré sa corpulence. Il se laissa tomber sur l'animal avant que celui-ci ne referme la gueule sur sa cible. Les deux corps emmêlés roulèrent à terre.

Après un bref moment d'affolement, le troisième tueur se releva et pointa son arme. L'empoignade était confuse, la nuit trop sombre pour qu'il puisse tirer sans risque de blesser son compagnon; il se résigna à tourner autour des combattants en guettant une occasion. Le chef avait beau être un colosse, le loup prenait le dessus. L'animal réussit à passer sur son adversaire, ses crocs brillèrent, plongèrent vers une gorge dénudée. Le tueur debout vit enfin l'ouverture qu'il attendait. Il pressa la détente de son fusil.

Il n'y eut pas de détonation.

On ne tire pas de coup de feu avec un parapluie...

Alors que son comparse contemplait, abasourdi, ce qu'était devenu son Verney-Carron flambant neuf, le chef avait réussi d'une rotation du buste à éviter in extremis les mâchoires du loup. Il replia les jambes sous lui et, d'une prodigieuse détente, envoya bouler l'animal. Dans le même élan, il s'agenouilla, empoigna son arme, visa et... s'effondra sous l'impact particulièrement violent d'un madrier à l'arrière de son crâne. Le tueur au parapluie subit un sort identique sans avoir réussi à élucider le mystère de la transformation de son fusil.

La scène s'illumina soudain, Ewilan entra dans le halo de lumière, jeta un bref coup d'œil à l'homme qui tenait toujours son bras en geignant, éloigna son fusil du bout du pied et se tourna vers Salim qui avançait vers elle.

– Et de neuf ! Tu vas bien ?

– Ça roule, ma vieille, sauf que je suis encore à poil. Je vais finir par m'enrhumer avec toutes ces histoires !

– Tu n'as qu'à aller chercher tes affaires et réveiller Maximilien par la même occasion.

– Je croyais que tu souhaitais le tenir à l'écart...

– À l'écart de la bagarre, Salim, et la bagarre est finie. Nous devons enfermer ces types dans un endroit sûr tant qu'ils sont hors d'état de nuire. La cave d'Ombre Blanche fera une excellente prison, mais il faut les transporter jusque-là. Maximilien ne sera pas de trop.

– On les met à l'Ombre en quelque sorte…

Ewilan ne put retenir un rire amusé.

– Tout à fait ! Et après on s'offrira une petite fête.

– Parce qu'on a neutralisé une bande de tueurs pas très doués ?

– Non, Salim, mieux que ça. L'exercice de cette nuit m'a libérée. Je ne suis peut-être pas encore au point pour les championnats du monde d'athlétisme mais j'ai retrouvé mon pouvoir. L'Imagination m'est de nouveau ouverte. Entièrement !

8

Il y eut quelques hurlements dans la cave, quelques coups inutiles portés contre l'épais battant de chêne puis le silence revint à Ombre Blanche. Maximilien versa dans les verres une deuxième rasade de son vin de noix. À ce rythme-là, ses réserves ne dureraient pas longtemps, mais il ne s'en souciait pas.

– Je n'en reviens pas, répéta-t-il pour la vingtième fois. Des tueurs à gages, ici, dans les Causses, pour m'assassiner, moi! Des hommes de main envoyés par la Flirgon pour me faire la peau... Et si vous n'aviez pas été là, hein? S'ils avaient réussi leur coup? Que seraient devenues mes chèvres? Les petits de la Roumègue?

Salim ne put s'empêcher de sourire; Ewilan, elle, ne se dérida pas.

– Le problème n'est pas réglé, affirma-t-elle. Je doute que quiconque se fasse du souci pour eux mais il est impossible de garder ces types dans votre cave jusqu'à ce que des champignons leur poussent sur le nez.

– Sans oublier que l'un d'eux a le bras amoché et aurait bien besoin d'un docteur, ajouta Salim.

– Vous avez raison. Ça ne m'enchante pas, mais je vais devoir descendre en ville, avertir la gendarmerie, porter plainte et tout le bataclan.

– C'est ça… et ainsi ces bandits s'en tireront sans difficulté puisque nous ne détenons aucune preuve contre eux, insista Ewilan. La responsabilité de la Flirgon ne sera même pas évoquée et les prochains tueurs qu'elle vous enverra ne vous rateront pas, eux !

– Tu fais preuve d'un pessimisme qui conviendrait davantage à un vieil homme comme moi, Camille.

– Non, Maximilien, de réalisme ! Un réalisme bien noir mais, hélas, tout ce qu'il y a de plus… réaliste ! Il nous faut trouver une parade définitive.

– Tu ne veux pas qu'on les…

– Bien sûr que non ! Nous devons empêcher la Flirgon de vous nuire et pour cela…

Un sourire rayonnant naquit sur le visage d'Ewilan. Elle posa les mains à plat sur la table, se leva à moitié pour se pencher vers le vieux berger.

– J'ai trouvé ! s'exclama-t-elle. Grâce à vous, j'ai récupéré la quasi-totalité de ces pouvoirs dont vous ne voulez pas entendre parler. Je peux…

– Je n'ai pas fait grand-chose, la coupa Maximilien.

– Si, vous avez été génial, mais écoutez la suite. Je peux rendre réel ce que j'imagine, vous l'avez constaté avec la bouteille de vin ou la lumière dans l'étable. Mes capacités ne s'arrêtent pas là, je suis également capable de me déplacer instantanément d'un endroit à un autre.

– Tu peux faire le pas sur le côté ? s'écria Salim.
Nous pouvons rentrer ?

– Pas encore, temporisa Ewilan. Un grand pas
demeure impossible, mais je sais qu'il ne s'agit
désormais que d'une question de temps, en revanche
un pas sur le côté classique ne devrait pas me poser
de problème. Voilà ce que nous allons faire...

Bernard Boulanger se prélassait dans un fauteuil,
les pieds posés sur la table basse du salon, un verre
de whisky à la main. Il était rentré la veille d'un
reportage épuisant en Colombie et ressentait encore
les effets du décalage horaire. Martine, son épouse,
après s'être fait raconter dans le détail les péripéties de son enquête, s'était couchée depuis un bon
moment. Lui, incapable de fermer l'œil, écoutait en
sourdine un disque de Glenn Gould tout en laissant
vagabonder ses pensées.

Le journalisme était à ses yeux l'un des derniers
remparts contre la corruption et l'injustice qui se
développaient dans un monde recelant pourtant
assez de potentiel pour que les humains puissent
tous vivre décemment. Bernard en était convaincu.
Intimement. Toutefois l'ampleur de la tâche et la
précarité des résultats obtenus l'écrasaient souvent.

La situation en Colombie était terrible : une popu-
lation exploitée par une minorité sans scrupules,
des intérêts personnels écrasant ceux de la nation,
des lois bafouées, tout cela sous le regard indiffé-
rent des...

Un bruit dans le couloir interrompit ses réflexions. Un bruit que Flamme, la chatte de la maison, lovée sur un coussin, ne pouvait avoir causé.

De sa place, Bernard voyait l'escalier qui desservait l'étage, il était donc certain que Martine n'était pas descendue, comme il était certain d'avoir verrouillé la porte d'entrée. Un bref instant, il se crut revenu en Colombie. Là-bas, il ne se passait pas une semaine sans que les journaux rapportent un enlèvement revendiqué par des rebelles. Les otages étaient ensuite échangés contre des rançons finançant la guérilla, ou supprimés si personne ne payait. Lors de son séjour, Bernard avait dû faire preuve de la plus grande prudence. Il se savait en sécurité chez lui, pourtant il se leva, suffisamment inquiet pour chercher une arme des yeux.

Il tendit la main vers un lourd cendrier de verre mais, avant qu'il ne s'en soit saisi, une jeune fille entra dans le salon. Une jeune fille qu'il eut du mal à reconnaître tant son apparence s'était transformée depuis la dernière fois qu'il l'avait vue.

– Ewilan ! s'exclama-t-il. Que t'est-il arrivé ?

La silhouette de l'adolescente était étique, ses traits émaciés, sa chevelure souple et ondulée remplacée par un désordre de mèches folles. Le teint livide, elle paraissait épuisée. Seul son regard violet n'avait pas changé, bien que... Bernard y lut une maturité angoissée qu'il ne lui connaissait pas.

– J'ai besoin d'aide, articula-t-elle avec la force de ceux qui demandent tout pour les autres et rien pour eux.

Quelques mois plus tôt, la famille Gil' Sayan au grand complet avait rendu une brève visite aux Boulanger. Bernard avait retrouvé avec bonheur son fils adoptif et ses amis, Altan et Élicia, faisant par la même occasion la rencontre d'Ewilan. L'adolescente l'avait surpris par la présence qui émanait d'elle, une sorte de charisme, presque d'aura, qui incitait à l'écouter attentivement et à tenir compte de ses paroles. Une jeune fille à la personnalité pour le moins exceptionnelle.

D'un geste, il lui fit signe de s'asseoir. Si elle déboulait chez lui en pleine nuit sans avertir, c'est qu'il y avait urgence. Il ne s'imaginait pas lui reprocher cette intrusion nocturne ou se perdre en questions oiseuses. Il lui fallait toutefois savoir si...

– Mathieu ? questionna-t-il.

– Non, Mathieu va bien, du moins il allait bien la dernière fois que je l'ai vu. Je suis ici pour une raison grave sans rapport avec Gwendalavir. Voilà ce qui s'est passé...

Ewilan avait expliqué son plan à Salim et Maximilien. Il ne présentait que des avantages, la seule difficulté consistant à convaincre Bernard Boulanger de traiter un problème à la fois. Elle s'y employa dès qu'elle eut fini de lui narrer ses aventures.

– Non, Bernard, répliqua-t-elle après sa première réaction, assez virulente. Laissez tomber l'Institution pour le moment. Je suis sur mes gardes désormais et ils ne sont pas près de m'attraper à nouveau, d'autant plus que je serai bientôt capable d'effectuer un grand pas pour me réfugier en Gwendalavir si nécessaire. J'ai besoin que vous vous occupiez de la Flirgon.

– Volontiers! s'exclama-t-il. J'ai hâte de coincer cette bande de truands. Si j'ai bien compris, il y a, enfermés dans la cave de ta ferme, neuf tueurs à gages employés par cette multinationale, non, huit, puisque tu m'as dit qu'un d'entre eux était parvenu à s'enfuir. Ils ont été envoyés pour liquider un berger parce qu'il refuse que l'on transforme ses terrains en mines de zinc. C'est ça?

Ewilan acquiesça.

– C'est exactement ça. Maximilien ne peut garder ces hommes prisonniers, et il risque à tout moment d'être éliminé par la Flirgon. Il faut agir vite. Très vite. Pouvez-vous nous aider?

– Oui, bien sûr. Il nous suffit de médiatiser cette histoire pour que la Flirgon s'empresse de retirer ses billes et ne s'approche plus jamais des Causses. Il sera, en revanche, difficile, voire impossible, de coincer ses responsables, mais on va s'assurer que ton berger retrouve sa tranquillité. Laisse-moi passer quelques coups de fil et je te suis. Tu peux m'y emmener, non?

– Je suis venue pour ça! acquiesça Ewilan avec un grand sourire.

La gendarmerie de Sépilannes dont dépendait Saint-Sauveur avait reçu en pleine nuit un appel téléphonique l'avisant que des coups de feu avaient été entendus du côté d'Ombre Blanche.

Au petit matin, un véhicule tout-terrain arriva sur le plateau, quatre gendarmes à son bord chargés d'une enquête de routine. Ils eurent la surprise de découvrir un bataillon de journalistes, des cameramen, des reporters s'affairant autour de la vieille ferme. Maximilien Fourque, le berger vivant là, était interviewé par l'un des présentateurs télévisés les plus connus de France.

Non loin de lui, couverts par le champ des caméras, huit hommes aux mines patibulaires étaient assis contre un mur, mains et pieds liés, un tas de fusils empilés à proximité.

Le gendarme en chef était un homme sensé, il comprit que la situation lui échappait. Sans même descendre de son véhicule, il saisit son téléphone portable.

– Allô, mon lieutenant ? Nous avons un problème à Ombre Blanche. Je crois que vous feriez mieux de monter...

9

Ombre Blanche ne retrouva sa tranquillité qu'en toute fin d'après-midi, une fois les derniers journalistes partis.

Ewilan, qui venait de ramener Bernard Boulanger chez lui, se matérialisa dans la pièce à vivre sans que Maximilien daigne sursauter.

– J'ai l'impression que vous vous la jouez blasé! ironisa Salim.

Le vieux berger lui jeta un regard philosophe.

– En deux jours j'ai assisté à plus de phénomènes étranges que durant toute ma vie. J'avoue que, si je ne suis pas blasé, ne t'en déplaise, la coupe est pleine. Je ne crois pas que quelque chose puisse me surprendre ce soir, sauf peut-être si la Roumègue se mettait à parler anglais en fumant le cigare…

– Ne provoquez pas Ewilan, elle est capable de vous prendre au mot!

Soudain inquiet, Maximilien se tourna vers l'adolescente qui le rassura d'un clin d'œil.

– Bernard m'a informée que les premiers démentis de la Flirgon étaient déjà arrivés, annonça-t-elle.

Leurs responsables de la communication parlent de coup monté, de manipulation et j'en passe. Ils ont exigé un droit de réponse. Leur service juridique veut porter plainte pour diffamation. Tout va bien.

– Tout va bien? s'étonna Maximilien. Je me demande si tu n'as pas abusé de mon vin de noix!

– Au contraire! Moi, je me demande si ce n'est pas lui qui m'a remise d'aplomb aussi vite! Tout va bien parce que la Flirgon ne pouvait agir autrement sous peine de se discréditer définitivement. Tout va bien surtout parce que, de sources aussi sûres que confidentielles, certains tueurs sont passés aux aveux. Vous pouvez parier qu'il va y avoir une restructuration de personnel dans les hautes sphères de notre multinationale préférée...

Pendant la journée, Salim et Ewilan s'étaient appliqués à rester invisibles. Ils avaient soigneusement évité les caméras, les journalistes et les gendarmes, guettant depuis une lucarne le bon déroulement de ce qu'Ewilan avait surnommé le plan Nitro, en prévision de l'explosion qui n'allait pas manquer de secouer la Flirgon. Ils goûtaient maintenant le double plaisir d'une victoire méritée et de la liberté retrouvée. La fébrilité causée par les récents événements, l'adrénaline qui avait coulé à flots dans ses veines et surtout son utilisation du Dessin avaient fini de persuader Ewilan qu'elle était rétablie. Qu'il était temps de partir.

Certitude renforcée par les rides de fatigue autour des yeux de Maximilien. En quelques jours, le vieux berger avait vu son monde chanceler, ses certitudes s'effriter. Sa sagesse, conquise à la dure au fil des ans, avait été éprouvée en profondeur. Il méritait le repos et, tant que Salim et elle résideraient à Ombre Blanche, il n'en bénéficierait pas. Il ne retrouverait sa relation intime avec la terre qu'une fois seul.

Ewilan passa la main dans ses mèches folles, geste devenu familier qui marquait son hésitation. Enfin, elle se lança :

– Maximilien, je… nous allons partir.

– Je m'en doutais, petite, répliqua le berger avec un sourire triste.

– Je me sens mieux, je crois que je suis guérie alors…

– Pour sûr, tu as meilleure mine que le chat famélique que portait Salim cet hiver dans la combe Nerre. Tu n'es pas bien épaisse mais tu ne donnes plus envie de pleurer, c'est déjà ça.

Une émotion intense nouait la gorge d'Ewilan. Elle devait tant au vieil homme.

– Sans vous je serais morte. Je ne pourrai jamais vous remercier comme vous le méritez. Vous êtes un être d'exception, un…

– Arrête de proférer de pareilles bêtises, petite ! Je suis un Caussenard, voilà tout, et j'ai été heureux de ce bout de chemin parcouru ensemble. Sans compter que si je vous ai dépatouillés, vous m'avez offert un sacré coup de main. Nous sommes quittes ! Bon, rassurez-moi, vous n'envisagez pas de partir maintenant ? Il va bientôt faire noir…

– Non. Nous passerons la nuit à Ombre Blanche et nous partirons demain au lever du jour.

– C'est une bonne résolution. L'avenir appartient à ceux qui se lèvent tôt ! Vous avez certainement beaucoup à faire, non ?

Après un coup d'œil échangé avec Salim, Ewilan hocha la tête.

– Oui, en effet, confirma le garçon. Dommage que vous préfériez ne rien savoir, on vous aurait volontiers raconté notre histoire. Elle ressemble à un conte de fées, même si certains épisodes ont viré au cauchemar ces dernières semaines.

Maximilien leva les yeux au plafond.

– Tu priverais un pauvre berger d'une histoire qui lui tiendra chaud cet hiver ?

– Mais je croyais que…

– C'était avant, petit ! Aujourd'hui c'est différent ! Si ces bougres d'ânes de tueurs ne me les ont pas vidées, il doit rester quelques bouteilles à la cave alors voilà ce que nous allons faire. On va en boire une ensemble et, pendant ce temps, vous me raconterez tout. Et quand je dis tout, c'est tout. Depuis le début !

Ils s'installèrent, Salim saisit les verres et commença à servir.

Maximilien Fourque, une dernière fois, se perdit dans les yeux d'Ewilan.

Il était heureux.

Avec le sentiment d'avoir bien vécu.

Tard dans la nuit.

Aucun bruit, aucune lumière dans la petite chambre qui a vu Ewilan revenir à la vie.

– Tu dors ?

– Je dormais, Salim…

– Bon, puisque tu es réveillée j'aimerais des précisions. Je n'ai pas osé te les demander devant Maximilien, mais je suis un peu tracassé...

Ewilan poussa un long soupir.

– Je t'écoute.

– J'ai appris tout à l'heure que nous partions demain matin. Tu aurais pu me prévenir, enfin bon... nous avons été pas mal occupés, je comprends que tu aies oublié. Il me manque quand même des infos.

– Lesquelles ? questionna Ewilan en étouffant, à moitié seulement, un bâillement sonore.

– On part où et pour quoi faire ?

Ewilan s'assit brusquement sur son lit. Une flamme apparut, dansant sur la paume de sa main. Elle planta ses yeux dans ceux de Salim.

– Tu n'as pas compris ?

– Ben... non...

– Je suis encore incapable de nous ramener en Gwendalavir. Nous devrons donc nous passer d'aide.

– Nous passer d'aide... Je crains le pire. De quoi parles-tu ?

– De l'Institution, d'Éléa Ril' Morienval et du Ts'lich !

– Tu veux retourner là-bas ? s'affola Salim. Après tout ce que... tu...

– Nous n'avons pas le choix, Salim. Il y a quatre enfants enfermés dans un laboratoire. Quatre enfants qui servent de cobayes à des fous dangereux parce qu'ils sont différents. Je serai peut-être obligée de tout casser, mais je vais les chercher !

ILLIAN

1

Les Causses – Juin.

– **N**on, Salim, nous marchons !

– Attends, ma vieille, nous marchons depuis trois heures, tu pourrais faire un geste…

– Il n'en est pas question !

– Mais pourquoi, bon sang ?

– Je te signale que je te l'ai déjà expliqué. Si tu n'avais pas passé ton temps à râler comme un pou en refusant de m'écouter, tu ne me poserais plus la question.

– C'est bon, message reçu. Regarde ! Un magnifique sourire illumine mon visage, mes oreilles frétillent d'impatience dans l'attente de révélations transcendantes, je suis calme, serein, mon âme brûle de s'élever jusqu'à toi, alors je t'en supplie, ô Ewilan, daigne m'expliquer pourquoi on se crève la santé à randonner dans ce putain de pays de merde à la con alors que tu pourrais nous transporter en un clin d'œil à l'endroit où nous nous rendons !

– À randonner dans ce quoi ?

– Dans cette contrée aride dont les cailloux inhospitaliers agressent la plante de mes pieds et épuisent ma patience, c'est ce que j'ai dit, non ?

Ewilan éclata de rire et se laissa tomber sur un rocher. Elle fit basculer le sac qu'elle portait sur les épaules et saisit la gourde que Maximilien leur avait confiée. Ils étaient partis tôt pour profiter de la fraîcheur, mais le soleil les avait rattrapés et cognait fort, comme pour se venger de leur trahison. Ewilan but une longue rasade, tendit la gourde à Salim puis s'étira en contemplant le paysage.

Ils n'étaient pas sortis des Causses, loin s'en fallait. La combe Nerre était proche, la Dent de l'Ouille les surveillait encore. La pierre blanche tavelée, tranchant sur le bleu d'un ciel aussi pur que dans un dessin d'enfant, dominait toujours leur horizon. Pourtant des changements devenaient perceptibles. Ils avaient perdu de l'altitude, le vent, s'il soufflait toujours, ne donnait plus l'impression de vouloir ravager le monde et la végétation devenait plus épaisse.

Salim s'essuya la bouche avec son avant-bras.

– Alors ?

– J'ai du plaisir à sentir mon corps se remettre à fonctionner, Salim. Je me délecte de mes enjambées qui se fluidifient, du frottement de mes bras contre mon torse, de l'oxygène qui entre dans mes poumons, j'apprécie même la douleur dans mes muscles et mon souffle court… Comprends-tu ?

– Je crois, oui, répondit Salim soudain attentif.

– Alors écoute la suite. Je désire marcher pour redevenir moi-même mais, par-dessus tout, je désire découvrir un trajet que j'ai effectué dans tes bras et dont je ne garde pas le moindre souvenir. Si j'en étais capable, je l'accomplirais en te portant sur mon dos pour comprendre la force qui t'a soutenu, sans boire et sans manger, sans certitude pour motiver tes pas. Je veux marcher parce que je te suis redevable, Salim, c'est le seul moyen dont je dispose pour rembourser une infime partie de ma dette. Un pas sur le côté amoindrirait ton geste et je t'aime trop pour te diminuer.

Salim avala sa salive avec difficulté. Dans un film, à cet instant précis, la musique devient romantique, le héros saisit la taille de sa belle. Elle ferme les yeux à moitié, lui tend ses lèvres, le baiser dure longtemps… dans un film…

Ewilan embrassait Salim, mais uniquement lorsqu'elle le désirait, sans qu'il comprenne ce qui suscitait cette envie ou au contraire l'éteignait, sans qu'il ose faire le premier pas pour exprimer ses propres désirs. Il ne doutait plus de ses sentiments, mais…

Comme si elle avait perçu son désarroi, Ewilan se leva, réajusta son sac.

– En route ! lança-t-elle. Il nous reste un long chemin à effectuer ensemble.

Salim la suivit en se demandant s'il fallait voir une explication dans les derniers mots, apparemment anodins, qu'elle venait de lui offrir. C'était possible, non, probable. Cela n'arrangeait pas son trouble.

Au contraire.

Ewilan flancha avant d'avoir quitté les Causses. En milieu d'après-midi, elle était épuisée, avec les jambes lourdes, des douleurs dans les pieds, les épaules et même les mâchoires. Elle s'assit par terre, appuya son dos contre un immense bloc de calcaire.

– Je n'en peux plus, avoua-t-elle. Sommes-nous encore loin de la forêt?

Salim hocha la tête avant de s'accroupir près d'elle.

– Au moins trois heures à ce rythme. Nous devrions bientôt atteindre un des villages que j'ai évités en venant. Il y en aura trois ou quatre à traverser puis ce sera Malaverse.

– Et l'Institution?

– J'espère que je saurai retrouver le chemin. Cette maudite forêt s'étend sur des milliers d'hectares sans véritables points de repère et comme il faisait nuit lorsque nous nous sommes enfuis… Cela dit, on devrait s'en sortir. J'ai pas mal tourné autour du parc quand je cherchais un moyen de m'y introduire, si on s'en approche je me repérerai sans mal.

– À quelle distance se trouve le premier village dont tu as parlé?

– Deux kilomètres, trois peut-être, quatre au maximum. Je me souviens qu'il marquait le début des cailloux et de la montée. Il se situe juste au pied des Causses.

– Alors on y va! J'espère qu'il y aura un endroit où poser nos fesses et nous restaurer! Je suis crevée et je meurs d'envie de manger autre chose que du fromage de chèvre sur du pain de campagne!

Elle se leva avec difficulté. Bernard Boulanger avait insisté pour qu'ils acceptent de l'argent. Il leur avait également proposé de se réfugier chez lui, le temps qu'il mène une enquête sur l'Institution, mais Ewilan avait refusé. Elle craignait que leur présence ne fasse courir un danger trop grand à la famille adoptive de son frère. Éléa Ril' Morienval était, à coup sûr, un des pivots de l'Institution. Le domicile des Boulanger devait certainement se trouver sous haute surveillance. Elle avait donc menti, certifiant à leur ami qu'ils rentraient en Gwendalavir et ne manqueraient pas de l'avertir dès leur retour. Il l'avait crue.

Si elle n'avait pas désiré aussi ardemment régler seule cette histoire, Ewilan aurait accepté la proposition de Bernard, quitte à lui faire courir un risque. Elle souhaitait vraiment, comme elle l'avait déclaré à Salim, délivrer les enfants captifs, toutefois ses motivations profondes étaient plus complexes.

La mort de Maniel hantait ses cauchemars et le souvenir des souffrances qu'elle avait endurées ne lui laissait aucun répit. Elle n'osait l'avouer à Salim, mais elle brûlait de se venger. Malheur à Éléa Ril' Morienval le jour où elle tomberait en son pouvoir ! Le visage de la Sentinelle déchargeant sur elle le pistolet à injection, les traits déformés par un rictus pervers, faisait toujours barrage à sa complète guérison. Comme les réminiscences qui lui faisaient fermer les yeux et serrer les mâchoires : fauteuil roulant, liquide de feu dans ses veines, douleurs, opérations, seringues...

Ewilan avait conscience qu'Éléa en vie, elle ne retrouverait jamais son véritable équilibre, pourtant elle craignait que la disparition de la Sentinelle ne suffise pas à lui rendre ce qu'elle avait perdu. Elle avait peur.

Peur de cette zone d'ombre en elle qui rêvait de représailles et de mort.

2

Marseille.

Jean-Luc Luciano quitta la rue de Rome pour s'enfoncer dans le dédale des traverses qui le conduiraient jusqu'au cours Julien sans avoir à effectuer le détour par la Canebière et le cours Lieutaud. Le cours Julien! Seul endroit de Marseille où il était possible de trouver un bar ouvert à quatre heures du matin, avec de la bonne musique et de l'animation sans risquer de se faire casser la figure et de finir la nuit à l'hôpital Nord.

Il avait travaillé toute la journée et une partie de la nuit sur son nouveau roman, les yeux rivés sur l'écran de son ordinateur, buvant des litres de cette infâme boisson à la fraise qu'il était le seul parmi sa multitude de copains à supporter. Il avait écrit des pages et des pages jusqu'à n'en plus pouvoir et être pris d'une envie frénétique d'air pur et de contacts humains.

Pour l'air, il était servi. Un mistral à décorner les taureaux s'engouffrait dans sa rue, faisant rouler les poubelles et s'envoler les vestiges du marché que les employés de la voirie avaient oubliés de-ci de-là, c'est-à-dire une bonne tonne de feuilles de salade, de sacs plastique et de cochonneries diverses.

Pour les contacts humains, c'était une autre paire de manches. Personne ! Strictement personne ! À croire qu'il n'existait plus de vie en ville après le journal télévisé. Exagération typiquement marseillaise compte tenu de l'heure ! Le café du coin était fermé, celui de Momo aussi. Jean-Luc s'était donc décidé à marcher plus longtemps que prévu pour rejoindre le quartier de la Plaine qu'il appréciait par-dessus tout.

Il était presque arrivé, lorsqu'il remarqua une étrange silhouette adossée à la porte d'un immeuble vétuste. Un type immense se tenait dans l'ombre, enroulé dans un burnous curieux, même pour une cité aussi cosmopolite que Marseille.

Jean-Luc avait toujours puisé la substance de ses personnages dans les rencontres que sa vie bohème, un brin dissolue, lui offrait. Il avait ainsi développé un sens aigu de l'observation et la capacité d'évaluer d'un seul coup d'œil les potentialités d'un homme et ses particularités.

Quelque chose clochait chez celui qui se tenait immobile à dix mètres de lui. Une disproportion dans les membres, des articulations qui pointaient à des endroits où elles n'auraient pas dû se trouver, une allure insectoïde plus qu'humaine...

C'était ça ! Jean-Luc avait le sentiment de faire face à une mante religieuse géante qui attendait qu'il s'avance pour se saisir de lui. Ridicule, bien sûr. Sans doute un problème de vision nocturne amplifié par cette cochonnerie de boisson à la fraise.

L'analyse n'avait pris qu'une poignée de secondes. Jean-Luc Luciano s'arrêta. Une sonnette d'alarme vibrait en lui. Non, faisait un boucan de tous les diables! Un sixième sens qu'il avait toujours écouté pour son plus grand bonheur, un sixième sens qui lui hurlait qu'il était en danger, qu'il n'avait qu'une chose raisonnable à faire…

L'inconnu esquissa un geste, Jean-Luc Luciano n'hésita plus. Il tourna les talons. S'enfuit.

Il n'était plus vraiment jeune, il avait constaté depuis longtemps l'impossibilité de passer ses journées à écrire tout en se maintenant en forme, il soufflait comme une forge quand il grimpait les deux étages qui conduisaient à son appartement, fumait beaucoup, buvait pas mal… il était rien moins que sportif!

Un bruit dans son dos lui rendit la vigueur de ses vingt ans. Le crissement monstrueux qu'aurait produit une lame gigantesque frottée sur un tableau noir d'écolier, suivi d'un martèlement métallique que Jean-Luc Luciano, ses sens décuplés par la terreur, identifia sans mal. Des pas! Une course!

La chose – c'était une chose, pas un être humain – le poursuivait!

La peur donne des ailes, c'est bien connu. Jean-Luc Luciano vola donc, son cœur martelant sa poitrine, ses poumons implorant de l'oxygène, sans risquer un coup d'œil en arrière, sans oser gaspiller une miette d'énergie en appelant au secours. Il vola jusqu'à chez lui, s'engouffra dans les escaliers, les grimpa quatre à quatre, ouvrit fébrilement la porte de son appartement, la claqua derrière lui, la verrouilla, se laissa glisser au sol à moitié inconscient, des larmes de détresse ruisselant sur ses joues.

Il lui fallut un bon moment pour se remettre, se convaincre d'abord qu'il ne risquait plus rien, ensuite qu'il avait certainement imaginé tout ce qu'il croyait avoir vécu. Une hallucination. Un simple délire dû au surmenage ! Une mante religieuse… Pourquoi pas un tyrannosaure ou un lézard géant tant qu'il y était ?

Il se leva péniblement, se rendant compte avec stupéfaction qu'il avait frôlé l'apoplexie. D'un pas mal assuré, il gagna la cuisine et, sur un coup de tête aussi subit que définitif, versa dans l'évier sa provision complète de boissons à la fraise.

Dans les ruelles du quartier de la Plaine, une créature maléfique reprit sa traque.

Elle avait faim.

3

Forêt de Malaverse.

Ewilan et Salim avaient longuement hésité à prendre une chambre dans la petite auberge qu'ils avaient dénichée au pied des Causses, avant de choisir la prudence et de s'abstenir.

Ils avaient pourtant été accueillis avec affabilité par le patron, un homme bedonnant à l'impressionnante moustache de cosaque, qui leur avait servi un repas copieux pour une somme assez modique. La région avait beau tenter de s'ouvrir au tourisme, les rares vieilles fermes à vendre formaient le seul attrait susceptible de séduire des curieux mais la plupart étaient déjà achetées par de riches étrangers. L'auberge était donc quasiment vide et le patron heureux de recevoir des clients, même aussi singuliers que ces deux jeunes-là.

En prenant leur commande, il leur avait posé quelques questions d'apparence anodine, ce qu'ils faisaient, où ils allaient, comment ils voyageaient, questions qu'Ewilan avait interprétées sans peine : il souhaitait savoir s'ils pourraient payer leur repas !

Elle avait, comme par inadvertance, laissé entrevoir le contenu de son portefeuille et l'homme s'était rasséréné. Quoi de plus normal que deux passionnés de randonnée effectuent à pied la traversée des Causses ?

La halte avait fait un bien fou à Ewilan. Elle avait atteint le village au bord de l'épuisement et avait cru entendre ses muscles soupirer de soulagement lorsqu'elle s'était assise à la terrasse.

Pendant le repas, Salim avait désigné un panonceau indiquant que l'établissement possédait des chambres.

– Ça te tente ? avait-il simplement proposé.

Ils possédaient assez d'argent pour s'autoriser ce luxe et Ewilan avait vraiment besoin d'un répit. L'idée d'étendre sa fatigue sur un lit douillet était tellement séduisante…

Elle avait failli accepter.

Failli !

La part de sa personnalité durcie par les épreuves avait pris le dessus sur son envie de repos. Le patron s'étonnerait que des adolescents en vacances itinérantes s'offrent une chambre d'hôtel, il risquait de parler d'eux, des oreilles à l'affût pouvaient l'entendre…

Non. C'était stupide et dangereux. Si elle ne parvenait pas à surmonter une lassitude passagère, autant renoncer tout de suite à ses projets !

Elle avait exposé ce point de vue à Salim et il s'était incliné. Il n'aimait guère la flamme sombre qui brillait dans ses yeux et restait persuadé qu'elle était plus affaiblie qu'elle ne l'avouait, mais il n'avait pas trouvé d'arguments pour la convaincre.

Le soleil descendait vers l'horizon lorsqu'ils étaient repartis.

– C'est Malaverse ? s'enquit Ewilan alors qu'ils quittaient un chemin départemental pour entrer dans un bois.

– Non, pas encore.

– Pourquoi t'arrêtes-tu, alors ? s'étonna-t-elle en le voyant déposer son sac au pied d'un arbre.

– Parce qu'il fait nuit, ma vieille ! Soit nous faisons une pause pour dormir, soit nous nous mangeons un tronc en pleine figure tous les dix pas en continuant à marcher comme des imbéciles !

Il avait parlé d'un ton sec, Ewilan l'observa avec surprise.

– Que se passe-t-il ? Tu es fâché ?

– Pas fâché, inquiet ! Je suis heureux que tu sois redevenue toi-même et si j'utilise le mot heureux c'est que je n'en connais pas de plus fort. Sauf que je n'ai pas l'impression que tu sois… complète !

– Je ne comprends pas.

– Tu as changé, Ewilan, et je ne parle pas de tes cheveux ou de tes pouvoirs qui clignotent. Tu es dure, tu me fais presque peur. Tu as décidé de retourner dans ce trou de serpents, mais tu ne m'expliques rien de tes projets, tu fonces comme un missile nucléaire chargé d'éradiquer l'Institution et ceux qui y travaillent.

– Je t'ai expliqué que…

– … des enfants avaient besoin de toi, je m'en souviens parfaitement. En revanche, tu ne m'as pas expliqué pourquoi tu refusais l'aide de Bernard Boulanger ou pourquoi tu n'attendais pas d'être capable d'effectuer le grand pas. Quitte à chercher des noises à une tripotée de gars armés jusqu'aux dents et retranchés dans un blockhaus, je trouverais logique qu'on y aille avec Edwin, une douzaine de Frontaliers, des soldats de la Légion noire ou même Bjorn. Mais non ! Tu te conduis comme s'il s'agissait d'une affaire strictement personnelle ! Alors je me tais et je t'accompagne. Tu sais qu'il faudrait que je sois mort pour ne pas te suivre et même, ça ne suffirait sans doute pas… Je t'accompagne donc, mais je suis inquiet. C'est tout.

Un long silence succéda à la tirade de Salim. Il s'attendait à des protestations peut-être outragées, Ewilan resta immobile, les yeux perdus dans le vague. La nuit presque complète n'empêchait pas Salim de discerner ses traits tendus. Encore tellement émaciés !

Finalement elle se détourna, déposa son sac à terre, s'affaira à ôter les cailloux de l'endroit où elle avait prévu de s'installer puis, sans un mot, s'allongea.

Une tempête faisait rage sous le crâne de Salim. Il avait beau savoir qu'il avait raison, il ne se pardonnait pas ses paroles, justes et injustes à la fois, fondées et pourtant si maladroites. Il s'assit près d'elle, posa la main sur son épaule.

– Ewilan…

Elle ne broncha pas, le regard rivé sur la voûte céleste, comme déjà endormie. Puis une perle naquit au coin de son œil, s'accrocha à ses cils, captant la lumière des étoiles jusqu'à ce que, trop lourde de douleur refoulée, elle roule sur sa joue et se perde dans la nuit. Salim sentit son cœur se briser dans un tintement de remords désespéré.

– Ewilan, je...

– Je n'étais qu'une chose entre leurs mains, chuchota-t-elle d'une voix rauque. Un simple jouet qu'ils avaient entrepris de démonter pour comprendre son fonctionnement. Ils m'ont ravalée au rang d'un mécanisme à étudier, ils ont brisé toutes mes résistances, piétiné mon âme, disséqué mon corps. Suis-je responsable si, en remontant le jouet, on s'aperçoit qu'il manque des pièces ? Si certaines sont désormais abîmées ?

– Je...

– J'ai peur, Salim, une peur affreuse qui me mord le ventre et ronge ma volonté. J'ai peur qu'ils me reprennent, qu'ils jouent encore avec moi, qu'ils me détruisent. Entièrement cette fois. Je voudrais fuir le plus loin possible, retourner à Al-Jeit, supplier qu'on m'aide, c'est impossible. Je suis incomplète, tu l'as dit toi-même, et les pièces qui manquent se trouvent dans un laboratoire de cauchemar. Je n'ai pas d'autre solution que braver cette peur terrible pour me reconstruire. La braver seule et maintenant !

Ewilan se tut. Elle ferma les yeux, comme épuisée par un effort surhumain. Salim ouvrit la bouche mais, avant qu'il n'ait pu parler, elle reprit :

– J'aurais tant aimé que tu comprennes... C'était sans doute impossible... Et puis, tu m'as déjà tant donné...

Elle se tourna légèrement, posa la tête sur son épaule.

– Tu sais, je veux vraiment sauver ces enfants. Je crois que c'est ce qui compte le plus au monde pour moi. On va y arriver, n'est-ce pas ?

Il la serra contre lui.

– Promis, chuchota-t-il.

Leurs mains s'étreignirent, il n'y eut plus d'autre bruit sous les arbres que le souffle léger d'un vent délicat et les murmures des insectes de la nuit.

4

L'Institution.

– **N**ous y sommes, murmura Salim.

Il repoussa doucement une branche et l'Institution apparut, presque riante sous le soleil printanier. Tout était conforme à ses souvenirs, rien n'avait changé. La haute clôture au faîte barbelé se dressait à sa place, il n'y avait pas trace d'une quelconque activité humaine.

Puis un bruit de moteur se fit entendre. Une camionnette apparut, se dirigeant vers le bâtiment des gardes et de l'intendance. Elle stoppa près de la porte principale. Un homme en descendit et il fit le tour de son véhicule, un sac volumineux dans les bras. Il le tendit à un individu vêtu de sombre qui venait de sortir à sa rencontre puis reprit le volant. Aucun mot n'avait été échangé.

– Le boulanger, expliqua Salim alors que la camionnette quittait leur champ de vision. Il passe tous les jours à onze heures précises. C'est le seul livreur dont les horaires soient réguliers. Les autres... Ça va ?

Ewilan se tenait près de lui, immobile, livide, les yeux fixés sur l'Institution.

– Je suis morte de trouille, répliqua-t-elle, mais ça ira ! Pourquoi n'aperçoit-on pas de gardes ?

– Ils sont à l'intérieur, à l'exception de celui qui effectue une ronde tout autour du parc sur le sentier que tu discernes là-bas, entre la lisière de la forêt et le grillage. La nuit, ils sont postés devant les ouvertures.

– Ils sont nombreux ?

– Difficile à évaluer. Une vingtaine si ceux qui ont eu affaire à Maniel ont été remplacés, peut-être plus si ton évasion les a incités à la prudence. Sans compter les types en blouse blanche, apparemment des infirmiers, ceux en costard dont le rôle n'est pas très clair et les scientifiques que je n'ai pas eu l'honneur de rencontrer. Ils portent des blouses vertes, c'est ça ?

Il hésita une seconde puis, comme elle se taisait, se décida à poursuivre. Ce n'était plus le moment de manquer de courage.

– Il y a aussi un Ts'lich et Éléa Ril' Morienval...

– Je sais.

Ewilan prit une profonde inspiration.

– Nous devrons nous montrer discrets, éviter toute confrontation tant que ce sera possible. Pas question d'emprunter la porte. Tu m'as parlé du toit...

– Oui, je n'en suis pas certain parce qu'il faisait nuit, mais je crois que le plafond du grand hall, au rez-de-chaussée, est percé de coupoles en plexiglas. Si c'est le cas, je dois être capable d'en ouvrir une.

– Et ensuite ? J'ai beau y avoir séjourné des semaines, je ne me rappelle quasiment rien.

– Il faut descendre au quatrième niveau, du moins si les enfants sont bien détenus au même endroit que toi, et le seul moyen que je connaisse pour l'atteindre, c'est un ascenseur protégé par un code d'accès. Maniel s'en est occupé à sa manière, mais je doute que nous puissions l'imiter. À nous de nous débrouiller...

– Nous trouverons un moyen lorsque nous y serons. Nous passerons à l'attaque cette nuit, d'accord ?

Salim lui adressa un clin d'œil un rien moqueur.

– Maintenant que nous sommes là, ce serait dommage que nous n'en profitions pas. Après une si longue marche, nous avons bien gagné le droit de nous amuser un peu, non ?

– Tu as raison, renchérit Ewilan. Nous allons nous débrouiller pour que la soirée soit réussie. Animation, feux d'artifice, combat de catch...

– Et côtelettes de Ts'lich à volonté si nous avons un creux pendant la fête !

– Excellente idée. En attendant, je te propose de nous éloigner pour que personne ne nous repère, ça gâcherait la surprise.

Salim libéra la branche qui, en reprenant sa place, leur masqua l'Institution. Ils s'enfoncèrent sans bruit dans la forêt.

Ewilan se glissa dans l'Imagination. Il ne s'agissait pas de détruire la clôture, mais de la franchir sans être repérés. Les mailles d'acier devenues du caoutchouc s'étirèrent suffisamment pour qu'elle se faufile de l'autre côté.

La silhouette puissante et silencieuse d'un loup passa devant elle. Il avait été convenu que Salim prendrait cette forme pour atteindre le bâtiment, éclaireur parfait aux sens plus aiguisés que les alarmes les plus perfectionnées. Il se fondit dans l'obscurité pendant qu'Ewilan rendait son intégrité au grillage. Elle s'allongea dans l'herbe, comme Salim le lui avait conseillé, et projeta son esprit vers lui.

– *Tout va bien ? Je peux y aller ?*

Pas de réponse articulée, mais une succession d'images à la signification très claire : la voie était libre. Elle commença à ramper, suivant scrupuleusement le parcours que Salim lui avait fait mémoriser. Elle était à mi-chemin lorsqu'une lourde masse s'aplatit soudain sur son dos, lui coupant presque la respiration. Le loup ! Elle ne l'avait pas entendu arriver...

– *Que se passe-t-il ?*

À nouveau des images, un homme en noir effectuant une ronde autour de la bâtisse, un énorme chien en laisse. Une haine virulente à l'encontre de l'humain et de son allié canin. Une proposition, deux corps égorgés, du sang, une victoire facile...

– *Non ! On s'apercevrait de leur disparition. Laisse-les filer et avertis-moi quand je peux continuer.*

Un regret. Vite estompé. L'attente. Puis, enfin libérée du poids qui la maintenait au sol, Ewilan se remit à ramper. Elle parvint à la bâtisse de brique, se glissa sous une haie avant de se relever, en se plaquant contre le mur. Elle le longea prudemment, contourna la maison jusqu'à atteindre l'arrière du bâtiment qui était son objectif.

Salim l'attendait, dissimulé contre un buisson. Elle lui tendit sans un mot le sac qu'elle portait sur son dos.

Il en tira ses vêtements et une paire de chaussures, les enfila rapidement. Il lui fit ensuite un signe de tête et la guida jusqu'à une épaisse chaîne métallique qui tombait d'une corniche et s'enfonçait dans le sol. Un paratonnerre. Salim l'empoigna et, en quelques gestes souples, se hissa sur le toit en terrasse. Ewilan le suivit plus lentement. Ils s'accroupirent côte à côte, conscients que leurs silhouettes se découpaient avec netteté sur le ciel nocturne et qu'ils ne devaient pas rester là.

À cinq mètres d'eux, une coupole de plexiglas éclairée de l'intérieur formait une flaque de lumière. Ils s'en approchèrent furtivement. La coupole était fermée par quatre boulons qu'ils entreprirent de dévisser à l'aide de la pince que Salim avait conservée. Ils durent unir leurs forces pour le dernier qui était grippé, mais bientôt le dôme bascula. Le grand hall s'ouvrait à leurs pieds, désert. Ewilan investit l'Imagination pour créer une longue corde qu'ils arrimèrent solidement puis ils se laissèrent glisser dans le vide.

Salim toucha le sol le premier, suivi par Ewilan qui fit disparaître la corde avant de regarder autour d'elle.

Ils étaient dans la place.

5

Le cœur d'Ewilan battait aussi vite que celui d'un coureur après l'effort, un filet de sueur froide coulait entre ses omoplates, mais elle n'hésita pas une seconde lorsque Salim s'élança. Calquant sa démarche sur celle de son ami, essayant d'imiter son pas souple et silencieux, elle traversa le hall à sa suite.

Ils l'avaient presque franchi lorsqu'une porte s'ouvrit dans le long couloir rectiligne devant eux. Une jambe apparut. Un pan de blouse blanche. Un bras... Entraînant Ewilan, Salim bondit sur le côté, se plaqua contre un mur. Ils attendirent, pétrifiés, croisant les doigts pour que l'infirmier – c'était sans doute un infirmier – choisisse la bonne direction. Espoir mort-né. Salim étouffa un juron en entendant s'approcher le pas décidé de l'homme. Il jeta un coup d'œil autour de lui. La seule cachette envisageable était un comptoir massif servant de bureau d'accueil... à l'autre extrémité du hall !

Les pas arrivaient sur eux, l'inconnu allait les apercevoir, donner l'alerte...

Salim bondit.

Son genou percuta l'infirmier au niveau de l'abdomen. Sous l'impact, l'homme se plia en deux, souffle coupé, bouche grande ouverte. Stupeur, douleur, manque terrible d'oxygène. Les mains jointes en boule, les doigts crispés, Salim leva les bras, frappa de toutes ses forces. Le coup atteignit l'infirmier à la base du crâne, le projeta au sol où il resta immobile.

Surtout ne pas se poser de questions, ne pas penser qu'il l'avait peut-être tué, juguler la nausée qui montait, trouver une solution... Vite!

– Tu l'as...

– On s'en fiche! Aide-moi à le tirer derrière le comptoir, on discutera plus tard!

Ewilan obtempéra. Elle prenait conscience que, sans l'intervention de Salim, elle serait restée figée, incapable de réagir, incapable d'utiliser son pouvoir. Elle eut soudain peur de s'être lancée dans une tâche qui la dépassait. Mais il était désormais trop tard pour faire demi-tour!

Ils tirèrent le corps de l'infirmier jusqu'au comptoir derrière lequel ils le dissimulèrent. Surmontant sa répugnance, Salim palpa le cou de l'homme. À son grand soulagement il perçut une pulsation, certes faible, mais signe de vie. Rassuré, il se leva, cherchant Ewilan des yeux. Elle avait déjà retraversé le hall et s'engageait dans le couloir. Il courut la rejoindre.

– On ne bouge plus!

L'ordre avait fusé, cinglant, proféré d'une voix menaçante par l'homme vêtu de noir qui avait surgi de la même pièce que l'infirmier un peu plus tôt.

Debout à trois mètres d'Ewilan, il la tenait en joue avec un revolver énorme, jambes écartées, mains jointes sur la crosse de son arme.

Il avait aperçu Salim mais le jugeait trop éloigné pour constituer un danger. La fille, en revanche, était très proche, il fallait la neutraliser, surtout si c'était celle dont on lui avait parlé.

– À plat ventre ! hurla-t-il. Vite !

Ewilan hésita. L'Imagination était là, à portée de son esprit, pourtant elle n'osait pas l'investir. La peur l'entravait plus solidement que des chaînes d'acier. Salim avança d'un pas. L'homme tourna la tête, fit pivoter le canon de son arme dans un geste sans équivoque qui décida Ewilan. Elle se jeta dans les Spires.

Il y eut un grésillement écœurant. Le garde poussa un cri de douleur et lâcha son revolver dont le métal porté au rouge par un dessin d'Ewilan venait de lui brûler cruellement la paume des mains.

– Ligote-le ! vociféra Salim en s'élançant.

Trop tard ! Ewilan, toujours handicapée par ses doutes, tergiversa une fraction de seconde que l'homme en noir mit à profit pour bondir sur elle. Ils roulèrent à terre. Malgré ses mains abîmées, il prit immédiatement le dessus. Il lui enserra le cou, leva un poing énorme. Salim plongea… glissa sur le carrelage sans que rien ni personne n'arrête son élan. Le couloir était vide.

Ewilan et le garde avaient disparu.

Salim se releva, hagard. Il ne voyait qu'une explication à ce qui s'était passé. Ewilan avait effectué un pas sur le côté pour se mettre à l'abri, mais son adversaire, cramponné à elle, l'avait suivie. Où qu'elle se soit rendue, il était avec elle. Il pouvait continuer à la frapper, peut-être la tuer !

Salim poussa un juron qui résonna dans le couloir sans qu'il y prenne garde. Elle était en danger et lui se trouvait ici. Ailleurs ! C'était à pleurer de rage !

Il ne lui vint pas une seconde à l'esprit qu'il courait lui-même un danger mortel, coincé dans un bâtiment qu'il n'avait aucune chance de quitter sans Ewilan.

– C'est bon, on peut continuer.

Surpris, Salim tressaillit. La voix s'était élevée juste derrière lui. Il se tourna en chancelant.

– Ewilan !

C'était bien elle, trempée mais vivante. Elle dégoulinait comme si elle sortait d'un bain forcé, ce qui n'empêcha pas Salim de la serrer contre lui.

– Mais qu'est-ce que tu fabriquais ? la questionna-t-il dès qu'il l'eut lâchée. Non, attends !

Il l'entraîna à l'abri dans un coin du hall et jeta un coup d'œil circulaire avant de reprendre :

– Alors ?

– Un pas sur le côté, répondit-elle avec un sourire penaud. Je n'ai rien trouvé d'autre.

– Tu es toute mouillée, tu…

– Je suis retournée au fond du fleuve, tu sais là où nous avons failli nous noyer quand nous sommes partis chercher Mathieu la première fois. C'était le seul endroit où le garde ne pourrait pas continuer à m'étrangler, le seul qui avait une chance de le surprendre suffisamment pour qu'il desserre sa prise.

– Et ?

– Ça a marché.

– Tu l'as abandonné au fond du fleuve ?

– Non. L'eau a fini de me réveiller et j'ai recommencé à réfléchir à une vitesse normale. Je ne pouvais pas le laisser là. Il lui suffisait de gagner la berge et de dénicher un téléphone pour que nous soyons fichus. J'avais l'avantage de savoir ce qui se passait. Lui paniquait et cherchait à remonter à la surface. Je lui ai attrapé un pied et j'ai fait un nouveau pas sur le côté. En ce moment, il est au fond de la combe Nerre, certainement en train d'appeler à l'aide. Je doute toutefois que quelqu'un lui réponde. Nous avons du temps devant nous…

Salim la contemplait, béat d'admiration. Elle s'en était tirée comme personne, mais au-delà de l'exploit, les mots qu'elle avait prononcés l'emplissaient de joie : « J'ai recommencé à réfléchir à une vitesse normale. » La suite de l'aventure se parait de couleurs moins sombres.

Comme pour lui donner raison, Ewilan se précipita vers le comptoir derrière lequel gisait l'infirmier inanimé. Elle saisit un bras de l'homme et disparut. Avant que Salim n'ait eu le temps de s'inquiéter, elle reparut, sèche de surcroît.

– S'il reprend conscience, autant que ce soit au milieu des Causses, expliqua-t-elle à Salim en le rejoignant. J'ai aussi pensé qu'il valait mieux ne pas laisser de traces de boue partout. On y va ?

– On y va, ma vieille, mais passe devant. Tu donnes l'impression de t'être transformée en char d'assaut

pendant ton bain dans le fleuve, alors je préfère rester derrière. Juste au cas où le char d'assaut en question éprouverait l'envie de tirer sans sommation,
d'accord ?

– D'accord, mais méfie-toi. Je suis capable de tirer
dans toutes les directions !

Rassurés sur leur force, pleins d'un nouvel opti-
misme, ils s'enfoncèrent au cœur de l'Institution.

6

Paris – Juin.

Bernard Boulanger saisit son téléphone. Cela ne lui ressemblait pas d'avoir tergiversé aussi long-temps, mais l'affaire était compliquée. Très compli-quée. Une fois réglé le problème des tueurs à gages employés par la Flirgon, une enquête discrète lui avait permis de vérifier les affirmations d'Ewilan. Non qu'il ait pensé qu'elle exagérait, bien sûr...

Un complexe secret existait bel et bien au cœur de la forêt de Malaverse. Il s'agissait d'une institution placée sous le contrôle conjoint du ministère de la Recherche et de celui de l'Intérieur, pourtant aucun de ses contacts dans ces administrations ne le savait, ce qui constituait déjà un élément troublant.

Bernard Boulanger avait obtenu des renseigne-ments grâce aux réseaux d'indicateurs qu'il avait l'habitude d'utiliser. Comme il s'y attendait, aucune des personnes jointes n'avait la moindre idée de ce qui se tramait au pied des Causses, mais chacune d'elles lui avait offert un fragment de la vérité.

Il avait patiemment reconstitué le puzzle et abouti à des conclusions sidérantes. L'Institution drainait un budget colossal. Ce budget, qui n'apparaissait sur aucun relevé officiel, finançait des recherches que nul scientifique soucieux de sa réputation n'aurait osé mener. Plus grave, le service de sécurité, formé au départ de membres de la police nationale, avait été remplacé par une organisation paramilitaire liée à des mouvements extrémistes. Bernard Boulanger n'avait encore trouvé aucune preuve que des enfants soient utilisés comme cobayes, mais même sans cela il y avait matière à causer un scandale capable d'ébranler l'État.

Puis, par une multitude d'indices infimes, il avait acquis la certitude que l'Institution, si elle était bien un projet ultra-secret, n'avait pas été conçue au départ dans l'illégalité pour répondre à des objectifs malveillants. Il était hautement improbable que ses plus hauts responsables connaissent l'existence de la milice et encore moins les expériences menées sur les enfants. Un individu ou une organisation semblait en avoir pris le contrôle !

Bernard Boulanger avait placé toute son énergie dans la recherche d'un nom. Celui de la personne qui, censée surveiller le projet, l'avait laissé devenir une entreprise délictueuse et monstrueusement inhumaine.

Son contact décrocha à la première sonnerie.

– Oui ?

– Bernard à l'appareil. J'ai besoin de parler à Bruno Vignol.

– Le Vignol de…

– Oui.

– Ce sera difficile. C'est un homme de l'ombre, il n'a quasiment aucune existence publique, pas de cabinet officiel, ni de secrétaire. À vrai dire, je suis même étonné que tu connaisses son nom.

– Tu le connais bien, toi !

– D'accord… Je dois réfléchir, mais je parierais sur sa passion pour l'histoire ancienne. Je me suis laissé dire qu'il assistait parfois à des cours au Collège de France.

– Tu te renseignes ?

– Volontiers. Je suppose que tu ne m'en diras pas davantage ?

– Gagné. Je te rappelle quand ?

– Demain dans la soirée. Je devrais avoir obtenu des informations.

Bernard remercia avant de raccrocher, un sourire ravi aux lèvres. Le vieux démon de l'investigation explosive s'était à nouveau emparé de lui.

7

L'Institution.

– **V**ous avez fait comment pour passer? murmura Ewilan en désignant la porte en acier de l'ascenseur.

– Maniel l'a démolie à coups de poing et nous sommes descendus par les câbles.

Ewilan évalua l'épaisseur du battant. À coups de poing... Elle étouffa le chagrin qui menaçait de la submerger dès qu'elle pensait à l'homme-lige pour se consacrer à sa tâche. Elle avait un problème. L'ascenseur était sans doute relié à une multitude d'alarmes qu'il ne fallait pas déclencher. Elle pouvait facilement transformer le panneau de métal qui lui barrait la route en papier ou en fumée, cela n'empêcherait pas des sirènes de se mettre à hurler partout dans l'Institution. Des gardes surgiraient, une multitude de gardes auxquels elle se savait incapable de tenir tête. La clef de leur expédition était la discrétion, ce qui réduisait à la portion congrue ses possibilités d'action. Son Don avait beau être immense, pour l'heure il ne lui était pas très utile.

Salim fit quelques pas dans le couloir, cherchant la porte d'accès à un éventuel escalier de secours mais dut très vite se rendre à l'évidence : si un tel escalier existait il ne se trouvait pas à proximité, ils n'avaient aucune chance de le découvrir. L'ascenseur était pour eux le seul moyen de gagner les étages inférieurs. Il revint vers Ewilan, un pli d'inquiétude barrant son front.

Près de la porte, le clavier servant à taper le code d'accès la narguait, posé sur sa console de plexiglas. Le code ! Ewilan avait vu un infirmier le composer quand on l'avait conduite ici. Elle était assise dans un fauteuil roulant, droguée, l'homme ne se méfiait pas… Se souviendrait-elle des touches sur lesquelles il avait appuyé ? Elle se concentra intensément sous le regard attentif de Salim mais finit par renoncer. Elle n'avait pas de certitude et, surtout, craignait que le code ait été modifié. Il y avait pourtant urgence. Quelqu'un pouvait arriver à tout moment, les surprendre, donner l'alerte… elle ne sauverait pas les enfants, sans compter que Salim et elle risquaient d'y laisser la vie.

– Salim ?

– Y a un problème, ma vieille ?

– Dans les films policiers, avec quoi les enquêteurs relèvent-ils les empreintes digitales ?

– Avec de la vapeur de colle sous pression, tout le monde sait ça. Si elle est colorée, c'est plus facile, même si la couleur se voit mieux dans l'obscurité avec des lunettes spéciales. Tu m'expliques ?

– Non, je te montre !

Elle se glissa dans l'Imagination. Un vaporisateur apparut dans sa main. Elle le dirigea vers le clavier et, en retenant sa respiration, appuya sur la valve. Un brouillard rosé en jaillit et se déposa sur les touches. Ewilan tendit la bombe à Salim et s'approcha du clavier. Elle dut pratiquement mettre le nez dessus pour observer le résultat, mais se redressa avec un grand sourire. Quatre touches étaient recouvertes d'empreintes, les autres en étaient dépourvues.

– Quatre, neuf, six, trois, annonça-t-elle.

– Ça ne suffit pas, ma vieille. Tu ignores dans quel ordre appuyer !

– Tout faux, Salim. J'ai vu un infirmier effectuer ce geste et, si j'étais incapable d'en déduire quelles touches il avait pressées, je sais désormais que le code n'a pas changé et quel ordre est le bon.

Elle composa la séquence chiffrée, la porte coulissa.

Un étau comprima la poitrine d'Ewilan lorsqu'ils parvinrent à l'entrée de la grande salle. La machine maudite trônait en son centre, ses diodes maléfiques clignotant au rythme des algorithmes conçus pour disséquer les cerveaux humains. Les cinq bras métalliques, pareils à des tentacules, s'arquaient toujours vers le plafond, mais les projecteurs violets à leur extrémité étaient éteints.

– Ils en ont ajouté un pour moi, murmura Ewilan en les désignant du doigt. Je crois que…

Un sifflotement joyeux, totalement incongru, la fit taire. Il provenait de l'autre côté de la machine. Les deux amis se concertèrent du regard puis Salim fit un signe du menton et Ewilan hocha la tête. Ils se glissèrent sans bruit vers le centre de la pièce, contournant chacun de leur côté l'impressionnant édifice de verre, d'acier et de moniteurs de contrôle.

Un homme vêtu d'une blouse verte s'affairait devant un écran. Il pianotait sur un clavier en sifflant un air guilleret et tout à fait dissonant.

– Pardon monsieur, l'Institution s'il vous plaît ?

– C'est ici. C'est curieux que… Qui êtes-vous ? Que faites-vous dans cette pièce ?

L'homme s'était levé d'un bond et contemplait Salim, stupéfait. Arraché à son programme informatique, il peinait à reprendre pied avec la réalité. Il était censé se trouver seul, ce qui lui convenait parfaitement, et tout à coup ce garçon… Les consignes de sécurité qu'il connaissait par cœur se frayèrent enfin un chemin jusqu'à sa conscience. Il tendit le bras vers un des systèmes d'alarme dont le centre était truffé.

Deux mains légères se posèrent sur ses épaules. Un simple effleurement, presque une caresse. Il voulut pivoter, mais sa vue se brouilla. Il crut qu'il perdait l'équilibre, tenta d'attraper le dossier de sa chaise pour se retenir.

« On m'attaque ! » songea-t-il avant de contempler, ébahi, le merveilleux panorama qui avait remplacé l'Institution devant ses yeux.

Il se tenait debout sur un plateau balayé par un vent frais. Il faisait nuit, des myriades d'étoiles piquaient un ciel parfaitement limpide, leur éclat se réverbérant sur la blancheur des pierres qui l'environnaient. L'air était empreint d'une odeur qu'il reconnut aussitôt tant elle avait marqué son enfance. La menthe poivrée ! Il en oublia d'avoir peur.

Un bruit furtif se fit entendre derrière lui. Il se retourna. La silhouette d'une jeune fille se découpait sur la clarté stellaire.

– Ce que vous faites est mal ! prononça-t-elle d'une voix douce et forte à la fois.

Puis, aussi magiquement qu'il était arrivé ici, elle disparut.

Nuit de juin au milieu des Causses. Un chercheur égaré regarde ses certitudes s'évanouir en fumée. Ses jambes ne le portent plus, il s'assoit sur un rocher blanc. Il se sent vide. Vide mais pas malheureux. L'odeur de la menthe poivrée.

8

Maximilien va râler si tu amènes trop de touristes du côté d'Ombre Blanche !

– Il va devoir s'y habituer…

– Que veux-tu dire ?

En guise de réponse, Ewilan se dirigea vers le couloir que Salim avait emprunté, des mois plus tôt, avec Maniel. Le couloir qui desservait les chambres où les enfants étaient retenus prisonniers.

Elle s'y engageait lorsque Salim l'arrêta en lui posant une main sur l'épaule. Il désigna du doigt une pastille rouge scellée au bas du mur, puis deux autres à mi-hauteur.

– Des cellules photoélectriques. Les mêmes bidules qui ouvrent les portes automatiquement dans les supermarchés, sauf que là, elles commandent plutôt des alarmes. Il n'y en avait pas quand je suis passé la dernière fois… Tu peux faire quelque chose ?

– Je préfère me glisser entre les faisceaux, le résultat est moins risqué. Tu y arriveras ?

Salim lui adressa un regard attristé.

– Tu cherches à me vexer ou quoi ? Si tu passes, je passe, crâneuse !

Elle sourit et, lentement, se faufila dans le passage. Salim l'imita sans prendre la peine de ralentir, d'un seul mouvement fluide.

– Et c'est moi la crâneuse... murmura-t-elle.

– Par laquelle on commence ? demanda Salim comme s'il n'avait rien entendu.

Il désignait la douzaine de portes de part et d'autre du couloir. Son amie ne répondant pas, il posa la main sur la première poignée. La porte s'ouvrit sur une pièce éclairée par la lumière bleutée d'un téléviseur. Un homme, affalé dans un fauteuil, les pieds sur une table basse, leur tournait le dos. Il regardait un film d'aventure, les oreilles couvertes d'un casque hi-fi qui expliquait son défaut de réaction à leur intrusion. Salim referma doucement.

La deuxième porte était verrouillée, ce qui ne posa aucun problème à Ewilan. La serrure joua sous l'effet de son dessin. Ils découvrirent un débarras où s'amoncelaient cartons et ustensiles de ménage.

Ils pénétrèrent ensuite dans deux chambres vides avant que la cinquième porte ne révèle un spectacle qui fit battre leurs cœurs plus vite.

Salim se remémora tout à coup la nuit où il avait retrouvé Ewilan couchée dans un lit pareil à celui qui se dressait au centre de la pièce, inconsciente, livide, décharnée.

Ewilan, elle, fut assaillie par le souvenir de la souffrance qu'elle avait endurée. Corps qui ne répond plus, désespoir, avenir déchiré par l'acier des instruments chirurgicaux...

Des larmes de rage firent scintiller son regard et elle contint de justesse l'envie de tout briser. Un enfant était allongé devant eux, sur le dos, les yeux grands ouverts sur une réalité invisible. Absent.

Ewilan reconnut immédiatement la petite fille douée du pouvoir de lévitation. Elle ne l'avait aperçue qu'une seule fois, mais son image était gravée à jamais dans sa mémoire, nue dans la lumière violette de la machine, le regard éteint, flottant au-dessus du sol sans aucun point d'appui, sans soutien...

Avec précaution, elle débarrassa le corps de la fillette des capteurs collés sur sa peau. Elle retira les aiguilles plantées dans ses veines et qui, son propre sang s'en souvenait, diffusaient la drogue contenue dans des flacons placés au-dessus du lit. Elle l'enveloppa dans un drap sans qu'elle réagisse puis se tourna vers Salim.

– Je l'emmène, annonça-t-elle. Je reviens le plus vite possible mais je dois la mettre en sécurité. Tu m'attends et tu ne prends pas d'initiative, d'accord ?

Salim hocha la tête. Ewilan ne pouvait transporter qu'une personne avec elle lorsqu'elle effectuait un pas sur le côté. Il comprenait la nécessité d'une séparation, pourtant son cœur battait comme une horloge prise de folie. Ewilan lui effleura les lèvres du bout des doigts, saisit la fillette dans ses bras et disparut.

Salim frissonna.

Maximilien Fourque fut tiré d'un sommeil paisible par une main qui lui secouait l'épaule. Il ouvrit les yeux. La lampe-tempête posée sur la commode était allumée. Elle éclairait le visage d'Ewilan penchée sur lui.

– Camille ? Que t'arrive-t-il ?

– J'ai besoin d'un coup de main, Maximilien. Encore un !

Salim s'était mis à compter les secondes tout en sachant que c'était stupide. Il en était à presque cinq cents lorsqu'il se secoua. Il avait mieux à faire qu'à se prendre pour un réveil !

Il se glissa dans le couloir. L'interdiction de tenter quoi que ce soit sans Ewilan ne l'empêchait pas d'explorer les alentours. Il colla son oreille contre le battant de chacune des portes restantes, localisa des toilettes au bruit d'une chasse d'eau, un second cagibi à l'odeur de détergent et prit le risque d'ouvrir la chambre qui avait été celle d'Ewilan. Elle était vide, le lit fait, comme attendant son retour. Il resta un long moment à la contempler puis regagna l'endroit où il était censé l'attendre.

Elle réapparut peu de temps après. Leurs doigts s'étreignirent, message en forme de caresse qui ne nécessitait pas de paroles. Toujours sans un mot, ils poursuivirent leurs recherches, priant pour que tout continue à se dérouler aussi bien.

Ils découvrirent le bébé dans la chambre voisine. Il poussait des gémissements dans son sommeil et ne se réveilla pas lorsqu'Ewilan le prit contre sa poitrine. Il était menu, sa respiration sifflante, ses côtes saillantes. Il n'avait pas plus de dix mois. Il aurait dû dormir chez lui dans son berceau, mais il possédait un Don. Il déplaçait les objets grâce à son esprit. Télékinésie.

Ewilan se demanda où et quand il avait été enlevé. Ses parents le croyaient-ils mort ? Ou au contraire, persuadés qu'il était en vie, multipliaient-ils les tentatives pour retrouver sa trace ?

Elle regarda gravement Salim qui lui adressa un clin d'œil. Elle disparut.

Maximilien accueillit le bébé avec un serrement de mâchoires qui en disait long sur sa colère.

– Soyez prudents, lança-t-il simplement à Ewilan avant qu'elle ne reparte.

Le troisième captif était un jeune garçon de l'âge de la première fillette, drogué lui aussi. Ses mains étaient enveloppées d'épaisses moufles ignifugées. Ewilan le revit, couché sur le dos, des flammes jaillissant de ses paumes. Pyrotechnie. Il ne bougea pas lorsqu'elle fit un pas sur le côté avec lui vers Ombre Blanche.

Le dernier enfant était le garçon d'une huitaine d'années qu'Ewilan avait vu assommer des rats à distance. À la différence des trois autres, il était attaché à son lit, un bâillon sur la bouche. Au bruit, pourtant infime, qu'ils firent en entrant, il ouvrit les yeux. Des yeux emplis d'une terreur sans nom.

– N'aie pas peur, murmura Ewilan, nous venons te délivrer.

Elle lui caressa la joue tandis que Salim s'attaquait aux sangles qui le maintenaient prisonnier. Elles étaient serrées et il dut batailler pour le libérer. Pendant ce temps, tout en lui chuchotant des paroles réconfortantes, Ewilan s'occupait du bâillon, un objet barbare qui à lui seul aurait mérité que les membres de l'Institution finissent leur vie en prison. Elle réussit à le lui ôter au moment où ses liens tombaient enfin à terre. Le jeune garçon resta une seconde immobile puis ses épaules tressautèrent, un sanglot monta de sa poitrine et il s'effondra en larmes dans les bras d'Ewilan.

– C'est fini, lui souffla-t-elle à l'oreille, c'est vraiment fini. Nous allons partir, t'emmener loin d'ici… C'est fini, maintenant…

Souvenir lointain perdu dans les brumes de son enfance ou savoir immémorial transmis par les gènes de celles qui aiment, elle poursuivit :

– Je suis là, avec toi, c'est fini… Comment t'appelles-tu ?

Larmes qui se tarissent, regard qui se lève vers elle, confiance qui naît.

– Illian. Je m'appelle Illian.

– Tu vas venir avec moi, Illian. Tu n'auras pas peur, d'accord ? Tu ne risques rien.

Ewilan sentit tout à coup le jeune garçon se raidir dans ses bras. Ses yeux exorbités de terreur fixaient un point derrière elle.

La porte de la chambre.

La lumière qui provenait du couloir s'obscurcit, Ewilan se retourna, Salim poussa un juron. Un garde était là, un revolver pointé sur eux.

Ewilan vit dans les yeux de l'homme qu'il allait tirer. Elle voulut se précipiter dans les Spires...

– Tombe !

Illian avait hurlé. Juste à côté de son oreille.

Le garde fut projeté en arrière, comme frappé par un poing invisible. Il s'affala lourdement, réussit toutefois à rouler sur le ventre, se remit en position de tir.

– Casse !

Un claquement métallique succéda au cri d'Illian. Le revolver, brisé en deux, tomba au sol. Ewilan sentit le jeune garçon trembler. Une force extraordinaire montait en lui qu'elle percevait au plus profond de son être. Elle comprit, voulut intervenir...

– Meurs !

Le garde fut pris d'une convulsion qui lui arqua tout le corps, ses pieds frappèrent sporadiquement le sol puis il ne bougea plus.

Il était mort.

9

Agir.

Agir et ne pas juger. Ne pas commenter.

– Salim, tu veux bien l'enlever du passage ?

Salim s'ébroua comme s'il sortait d'un rêve. Un rêve. Ce devait être un rêve. Non, un cauchemar. On n'ordonne pas aux gens de mourir, et si on le leur ordonne, ils n'obéissent pas ! Il jeta un coup d'œil à Ewilan, assise sur le lit, Illian dans les bras. Elle le suppliait du regard, ce qui le décida à agir.

Il s'approcha du garde, frissonna en découvrant ses traits figés dans un rictus effrayant, mais surmonta sa répugnance et le saisit par les chevilles. Il le tira jusque dans la chambre et le dissimula tant bien que mal derrière le lit.

– *Crois-tu que je puisse l'emmener à Ombre Blanche ?*

Ewilan lui avait parlé mentalement pour qu'Illian ne l'entende pas. Salim lui répondit de même.

– *Tu vois une autre solution ?*

– *Non.*

– *Alors…*

– *Il a utilisé l'Imagination, Salim. Je l'ai perçu, j'en suis absolument certaine.*

– *Tu veux dire qu'il a dessiné ?*

– *Non. Ce n'était pas un dessin. C'était à la fois plus que ça et bien moins. Plus puissant et moins équilibré. Je ne comprends pas…*

– *Moi non plus. Je sais en revanche que nous ne pouvons pas rester ici.*

Ewilan acquiesça d'un battement de cils. Elle passa la main dans les cheveux d'Illian, les caressa jusqu'à ce qu'elle le sente parfaitement détendu.

– Il est temps de partir, lui annonça-t-elle.

Le jeune garçon se raidit et tenta de s'écarter.

– Je ne veux pas que tu m'attaches !

– Du calme… Il est hors de question que je t'attache ou que je laisse quiconque te faire du mal. Nous allons simplement partir dans un endroit où nous serons tranquilles, d'accord ?

– Ils m'attachent parce que je suis fort, s'écria Illian comme s'il ne l'avait pas entendue. Leurs drogues me brûlent sans réussir à m'endormir alors ils m'attachent. Ce sont des faibles, des lâches, alors pour se venger ils attachent les forts. Ils m'attachent moi et ils ont attaché le géant.

Les doigts d'Ewilan se refermèrent sur son poignet, serrèrent jusqu'à ce qu'il la regarde, étonné.

– Quel géant, Illian ?

– Le géant qui est arrivé quand tu es partie. Ils ne l'ont pas bâillonné, mais ils l'ont attaché encore plus que moi.

Salim s'était approché d'eux. Il s'agenouilla devant Illian.

– Est-ce que tu sais où se trouve ce… géant ?

– Non… je ne sais pas… je veux m'en aller… je ne veux plus qu'ils m'attachent…

Il se remit à pleurer et Ewilan n'eut d'autre solution que de le serrer fort contre elle en attendant qu'il se calme… quelques minutes pendant lesquelles les yeux d'Ewilan restèrent vrillés dans ceux de Salim.

Aucun échange. Des mots, même chuchotés, auraient brisé l'espoir ténu qui naissait en eux. Ils se taisaient, mais leurs regards se disaient ce que leurs bouches n'osaient prononcer. Le géant. Maniel ! Était-ce possible qu'il ait survécu, qu'il soit ici, peut-être à portée de voix ?

– Il faut vraiment que tu y ailles, finit par dire Salim.

– À tout de suite, promit Ewilan.

Elle plaqua la tête d'Illian contre elle, lui masquant la vue avec son bras pour qu'il ne s'affole pas, puis dessina un pas sur le côté.

Ils disparurent.

Lorsqu'Ewilan revint, Salim bondit vers elle.

– Alors ?

– Je l'ai laissé à Maximilien en lui expliquant de mon mieux la situation. Il n'a pas paru inquiet de se retrouver chargé d'un garçon capable d'ordonner à un cœur d'arrêter de battre !

– Ça ne me surprend pas de lui.

– D'où vient-il, Salim ?

– Qui ? Maximilien ?

– Non, idiot, Illian !

– Comment veux-tu que je le sache ? Ces psycho-pathes de l'Institution l'ont kidnappé mais après… ou plutôt avant…

– Il a utilisé l'Imagination ! C'est incroyable… Pendant un moment une porte s'est ouverte sur un aspect des Spires dont personne n'a conscience en Gwendalavir, même pas maître Duom. J'ai failli comprendre, non, j'ai compris, puis ça m'a échappé. Bon sang, Salim, c'était si fort que je n'ai pu m'empêcher de trouver ça effrayant ! Une flèche de volonté pure tirée à travers l'Imagination !

Elle se calma soudain et planta son regard dans celui de Salim avant de poursuivre.

– Nous devrions repartir maintenant. Nous avons déjà eu beaucoup de chance, ça ne peut pas durer. Nous devrions repartir mais nous restons, n'est-ce pas ?

– Nous n'avons pas le choix.

– Tu sais, comme moi, que le géant dont parlait Illian n'est peut-être pas Maniel.

– Oui, et il est également possible que ce soit le simple délire d'un gosse de huit ans dont les nerfs ont craqué. Mais ça change quoi ?

Elle ne répondit pas directement.

– Nous risquons peut-être nos vies pour une chimère, tu en as conscience ?

Salim haussa les épaules.

– Depuis que je te connais, j'ai appris à faire de mon mieux sans trop me poser de questions. Je ne vais pas arrêter aujourd'hui… Nous attaquons par où ? Le jour finira bien par se lever et il vaudrait mieux que nous ne traînions pas dans les parages.

– Il n'est pas ici et je l'imagine mal au rez-de-chaussée. Ça nous laisse trois niveaux à explorer. Je propose que nous commencions par celui qui est juste au-dessus. Ça te va ?

– Au poil, ma vieille.

Ils quittèrent la chambre d'Illian.

Peu importaient les risques.

Ils partaient au secours de leur ami.

10

Lyon.

On le lui avait pourtant dit !

Des dizaines, des centaines de fois !

« Ne monte jamais en voiture avec un inconnu. Même s'il a l'air gentil. Surtout s'il a l'air gentil ! »

Mais voilà, il était en retard, très en retard, et le type qui s'était arrêté avait tout du gars serviable et sympathique. Pas la tête d'un assassin ou d'un pervers. Il avait proposé de le ramener chez lui et Colin, après une courte hésitation, avait accepté. Les histoires d'enfants kidnappés, c'était bon pour effrayer les petits, pas les collégiens de cinquième. La paire de claques qu'allait lui flanquer son père s'il arrivait encore en retard était, elle, bien réelle. Il était monté.

Ce qu'on peut être niais quand on est en cinquième !

Au début, tout avait été parfait, la voiture était chouette, le type conduisait bien, souriait…

Il aurait dû commencer à s'inquiéter quand le type lui avait déclaré qu'il connaissait un raccourci.

194

Il avait tourné à droite au lieu d'aller tout droit, mais Colin n'avait rien trouvé de mieux à faire qu'à le remercier de sa gentillesse. Pauvre cloche !

Il y avait eu ensuite le coup des portières verrouillées. Pour éviter les mauvaises rencontres ! Puis celui de la panne dans une rue déserte alors que la nuit tombait. Le type lui avait dit qu'il allait téléphoner chez un copain qui habitait juste à côté, il lui avait proposé de l'accompagner. Colin avait commencé à se méfier.

Puis, très vite, il avait eu peur.

Le type ne paraissait plus du tout sympathique, il jetait des coups d'œil impatients autour de lui, l'entraînait en le serrant si fort que son poignet lui faisait mal. Colin avait failli crier, s'était ravisé. Malgré son cœur qui menaçait d'exploser de terreur et ses jambes flageolantes, il savait que cela ne servirait à rien. Il avait préféré attendre une occasion propice, un bref relâchement de l'attention du type pour se libérer d'un coup sec, par surprise.

Maintenant il court et le type lui court après.

Rues désertes, entrepôts, immeubles abandonnés... Colin a peur. Il tourne dans une ruelle, s'aperçoit que c'est une impasse, veut faire demi-tour. Trop tard !

L'homme lui bouche le passage. Il ne court plus, il sait qu'il le tient. Colin recule, bute contre une benne à ordures, ouvre la bouche pour hurler...

Le cri reste coincé dans sa gorge.

La créature vient d'apparaître.

Derrière l'homme qui ne se doute de rien. Qui continue à avancer, un sourire cruel aux lèvres.

La créature – mante religieuse? lézard géant? – lève un bras dont l'extrémité forme une lame osseuse à l'aspect redoutable. Elle l'abat dans un mouvement d'une violence inouïe.

Geyser de sang.

Corps écartelé.

Colin se glisse sans bruit derrière la benne à ordures. Il se met en boule, ferme les yeux. Prie pour que le cauchemar cesse.

Le festin a commencé.

11

L'Institution.

La porte de l'ascenseur s'ouvrit en chuintant au troisième niveau.

Un hall éclairé par les habituels néons blancs donnait accès à trois portes. L'une d'entre elles, mal fermée, laissait entrevoir un bureau, d'où provenait un bruit de conversation.

Salim et Ewilan s'approchèrent sur la pointe des pieds.

– ... caractéristiques de son monde, disait un homme.

– Peut-être, répondit la voix d'une femme, mais en tout cas son générateur fonctionne.

– Et comment peux-tu être certaine que ce générateur d'Imagination, comme elle l'appelle, recrée bien le monde dont elle nous rebat les oreilles, ce Gwendalavir que je considère pour ma part comme le fruit d'un cerveau détraqué ?

– Des faits précis que j'ai pu constater.

– Ah bon ? Lesquels ?

– Les armes à feu ne fonctionnent pas dans l'amphi K qui est sous le champ du générateur, non plus que la plupart des mécanismes requérant une énergie électrique ou thermique !

– Cela ne prouve pas l'existence d'un monde parallèle.

– Tu me fatigues avec ton scepticisme. Tu as vu ce dont elle est capable, non ?

– Rien de plus que les enfants du quatrième niveau.

– Et le… la… enfin tu sais le…

– Le monstre ? Je ne fais pas partie de ceux qui ont eu la chance de le rencontrer et toi non plus. Allez, avoue que tu t'emballes. Tu as envie de rêver, c'est tout !

– Et toi tu es vraiment trop bête ! Je perds mon temps avec toi, je m'en vais.

– Non, attends…

Il y eut un bruit de chaises, des pas. Salim et Ewilan jetèrent un coup d'œil autour d'eux. Un panneau sur la deuxième porte annonçait : « Amphithéâtre K. Entrée interdite au personnel non autorisé. » Sans se concerter, ils s'y engouffrèrent. Ils refermèrent la porte derrière eux au moment où deux individus en blouse verte sortaient de leur bureau.

L'amphi K était une pièce circulaire immense, au sol légèrement en pente, dont le plafond avoisinait les vingt mètres. Une coursive en faisait le tour au niveau du sol, une autre à mi-hauteur. Deux ouvertures, à l'opposé de l'entrée, donnaient accès à des laboratoires que les adolescents ne prirent pas le temps d'observer. Toute leur attention était focalisée sur un poteau métallique brillant qui se dressait au centre de l'amphithéâtre, sous les feux croisés de quatre projecteurs.

Un homme y était attaché par des liens de plastique. Grand, doté d'une charpente encore puissante, il avait dû être un titan dans sa jeunesse. Il était maintenant vieux, usé, épuisé par la cruelle position que lui imposaient ses entraves... Un vieillard torturé dont la vue tira une grimace à Ewilan et fit bouillir le sang de Salim.

Comme averti par un sixième sens, le prisonnier releva sa tête jusqu'alors affaissée sur sa poitrine et planta ses yeux dans ceux d'Ewilan. Elle le reconnut enfin.

– Maniel !

Elle s'élança avant que Salim n'ait pu esquisser le moindre geste pour la retenir.

– Attends ! cria-t-il.

Elle était déjà près de Maniel, se débattant avec des liens sertis qui refusaient de se détendre d'un millimètre.

– Ewilan...

La voix de l'homme-lige était rauque, cassée, comme étaient brisés chacun de ses os, son corps, sa force. Seule restait la flamme dans ses yeux.

– Ewilan... Je suis... un appât ! Fuis !

Elle ne l'entendit pas. Aidée par Salim, elle le prit dans ses bras pour qu'il ne tombe pas lorsqu'elle le libérerait et se jeta dans l'Imagination...

… il ne se passa rien !

Affolée, elle se retourna. Quatre cages de verre étaient apparues autour d'eux. Dans chacune d'elles, Ewilan discerna la forme répugnante d'un gommeur. L'Imagination lui était interdite !

Mais ce n'était pas tout.

Une dizaine de gardes s'étaient postés devant les portes maintenant closes, des matraques à la main, tandis que plus loin se dressait la haute silhouette d'une créature qui figea Ewilan de terreur. Et plus près…

Tout près…

– On ne m'échappe pas, sale petite fouine ! Jamais !

Ewilan ferma les yeux pendant une seconde de désespoir.

Un piège.

Tendu pour elle depuis le début.

Par une femme plus dangereuse qu'un cobra.

Éléa Ril' Morienval !

– Il ne manquait plus que toi pour que mon bonheur soit complet et tu as eu la gentillesse de revenir, cracha la Sentinelle avec dédain. Tu es si stupide, si parfaitement prévisible !

La peur qui avait envahi Ewilan fit place à la colère.

– Vous n'êtes qu'une vieille folle bonne à enfermer !

– Folle ? Je ne crois pas. Vois-tu, j'ai découvert ici un lieu à la hauteur de mes ambitions. Un lieu où je peux étudier et préparer tranquillement mon retour à la tête d'une armée qui balaiera les légions de Sil' Afian. Que pourront les chevaliers de ce minable face à des mitrailleuses lourdes ? À quoi serviront ses dessinateurs lorsque j'aurai décrypté leur art jusqu'à le rendre inoffensif et que mon propre pouvoir sera devenu irrésistible? Une nouvelle ère s'ouvre, une ère de puissance et de lumière, une ère de gloire, l'ère d'Éléa Ril' Morienval! En as-tu conscience? Non, bien sûr. Je perds mon temps à vouloir t'expliquer le vrai sens de la vie. Tu es aussi mièvre que ta mère, aussi lâche que ton père, tu ne peux comprendre qu'une chose...

La Sentinelle leva le bras et le Ts'lich s'approcha. Démarche souple, glissante, effrayante.

La mort en marche.

Il se campa devant Salim et Ewilan, ses lames redoutables croisées devant sa poitrine d'insecte, ses mandibules acérées suintantes de venin.

– D'abord un peu de ménage, railla Éléa Ril' Morienval. Tue ce garçon!

Le Ts'lich ne broncha pas. Ses yeux aux pupilles verticales se tournèrent vers la Sentinelle.

– Nous n'aimons guère recevoir des ordres, siffla-t-il d'une voix effrayante d'inhumanité.

– Peut-être, mais tu n'as pas le choix! L'heure des tiens a passé, c'est moi qui commande désormais et si tu souhaites que ta race survive, il te faut obéir. C'est à ce prix que je t'offrirai ce monde! Tu n'as pas le choix, te dis-je, et je n'ai pas de temps à perdre.

La femme et la créature se toisaient, débordantes de haine. Un bref instant, Ewilan se demanda laquelle était la plus monstrueuse des deux, puis le Ts'lich se détourna et déplia le bras. Geste exécuté à une vitesse foudroyante. Sa lame osseuse fusa vers le cou de Salim...

… qui se jeta à terre, effectua un roulé-boulé, se redressa. Déjà le Ts'lich était sur lui. Nouvel arc de cercle meurtrier, nouveau bond sur le côté. Le Ts'lich, encore.

Salim pirouettait, plongeait, esquivait. Le Ts'lich jouait, le poussant à des acrobaties sans cesse plus périlleuses, le titillant du bout de ses lames, lui tirant des perles de sang par des estafilades sans gravité… qui se multipliaient.

Ewilan avait glissé au sol. Les mains pressées contre sa bouche pour s'empêcher de crier, elle assistait aux tentatives désespérées de son ami pour éviter…

Salim glissa, tomba sur le dos, voulut se relever, un pied odieusement griffu l'en empêcha. Une lame blanche s'éleva.

Redescendit en une courbe mortelle…

Ewilan hurla !

Ewilan hurle.

Son désespoir de dessinatrice absolue emprunte une porte qui ne lui appartient pas, mais dont elle a perçu l'existence.

La porte d'Illian.

Son cri ouvre une brèche dans la structure ordonnée des possibles tandis qu'une multitude d'images se répand en elle. Elle retient l'image qui l'a soutenue aux pires moments de son existence. Un groupe.

Amitié...

Force...

Sécurité...

Ewilan hurle toujours, la trame de l'univers se déchire.

L'impossible devient réalité.

12

Ewilan hurla !

La lame du Ts'lich s'arrêta net.

Une main venait d'intercepter l'avant-bras du monstre.

Le pied d'Edwin fouetta l'air, frappa le Ts'lich sous la clavicule. La chitine craqua tandis que la créature bondissait en arrière. Le maître d'armes jeta un coup d'œil ébahi autour de lui. Il n'était vêtu que d'un caleçon et ruisselait d'eau. Ses yeux tombèrent sur Ewilan au moment où le Ts'lich repassait à l'attaque. Elle poussa un cri d'avertissement.

Edwin se baissa, évita le coup de taille qui l'aurait décapité, plaça un atémi qui repoussa son adversaire, alors que des bruits de combat retentissaient dans la salle.

Sidérée, Ewilan se leva.

Une scène hallucinante se déroulait sous ses yeux.

Ellana et Siam, l'une à mains nues, l'autre avec son sabre, affrontaient les gardes. Elles paraissaient stupéfaites de se trouver là et paraient avec difficulté les assauts d'hommes rompus au combat rapproché qui en voulaient à leur vie.

Puis les jeunes femmes aperçurent le corps de Maniel attaché au poteau, celui de Salim étendu au sol, Ewilan en piteux état. Elles virent Edwin, à demi-nu, affronter un Ts'lich. La colère dissipa leurs hésitations et leur prodigieux talent reprit le dessus.

Elles passèrent à l'attaque.

Les gardes furent tout de suite débordés. Les coups d'Ellana se firent plus fluides, plus sauvages. D'insaisissable, elle devint feu follet, brisant des nuques sous le tranchant de ses mains, enfonçant des cages thoraciques à coups de talon meurtriers. Siam n'était pas en reste. Elle ignorait où elle était mais Edwin y était aussi et s'il affrontait un Ts'lich, c'est que ces hommes en noir étaient des ennemis, peut-être des mercenaires du Chaos ! Elle libéra son sabre qui entama une danse de mort.

Ewilan tourna la tête. Salim ! Il avait besoin d'aide. Elle réfléchirait plus tard aux événements extra-ordinaires qui se déroulaient sous ses yeux.

Après un moment de flottement, Edwin avait également repris ses esprits. Il combattait le Ts'lich de façon méthodique, sans paraître se soucier de ne disposer ni d'arme ni de cuirasse. Il évitait chaque attaque de la créature d'un mouvement souple parfaitement maîtrisé et frappait du poing ou du pied. Des atémis sauvages. Impitoyables. À chaque coup, la carapace chitineuse du monstre craquait sinistrement. Edwin lui avait déjà fait traverser la moitié de la salle et maintenait une pression dont l'issue ne laissait planer aucun doute.

Salim ne gisait plus à terre. Un vieux bonhomme au crâne dégarni l'avait tiré à l'écart et s'employait à soigner ses blessures. Maître Duom !

Le dernier garde, fuyant Siam et son sabre diabolique, se retrouva face à Ellana. La marchombre le cueillit d'un coup de coude entre les jambes qu'elle doubla d'un atémi à la gorge. Le garde s'effondra et ne bougea plus.

– Attrape !

Siam lança son sabre. L'arme décrivit une parabole scintillante qui se poursuivit lorsque la main d'Edwin se referma sur sa poignée. La lame remonta dans un mouvement empreint d'une grâce envoûtante, ouvrit une plaie béante dans le cou du Ts'lich, revint le lacérer au niveau de l'abdomen pour achever sa course plantée dans sa poitrine.

La créature vacilla, contempla, étonnée, le sang vert qui s'échappait à gros bouillons de ses blessures puis bascula en arrière, libérant le sabre de Siam.

Morte.

Le silence retomba sur l'amphi K.

LE DERNIER
TS'LICH

1

Ils se regroupèrent près de Maniel.

Ellana sortit un poignard de sa botte et trancha les liens qui le retenaient prisonnier. L'homme-lige poussa un grognement de douleur lorsque le sang afflua tout à coup dans ses membres. Il se serait effondré si Edwin ne l'avait retenu. Le maître d'armes l'allongea avec douceur sur le sol.

Aucun mot n'avait encore été prononcé.

Maniel était méconnaissable. Son corps semblait avoir vécu des centaines d'années, sa peau était parcheminée, ses membres tordus. Une multitude de plaies s'entrecroisaient sur son torse décharné, ses traits émaciés étaient sillonnés de rides profondes, ses mains cachectiques pendaient, inutiles, à ses côtés.

– Par le sang des Figés, Maniel, qui t'a fait ça ? demanda enfin Edwin.

L'homme-lige remua la tête, incapable de prononcer un son.

– Il a brûlé, murmura Ewilan agenouillée près de lui. Il a brûlé pour me sauver. Il m'a offert la liberté au prix de sa vie. Nous le pensions mort et il était aux mains de…

Elle se leva soudain, prise d'une brutale angoisse. Elle fouilla la pièce des yeux avant d'admettre la vérité.

– Elle a disparu ! s'exclama-t-elle. Éléa Ril' Morienval ! C'est elle qui a tout organisé. Elle m'a enlevée et projette d'attaquer Gwendalavir. Elle…

– Attends, la coupa maître Duom. Dis-nous d'abord où nous sommes et ce que nous faisons ici. Il y a quelques minutes, je traduisais un inestimable manuscrit chez le seigneur Saï Hil' Muran et, à le voir, je pense pouvoir affirmer qu'Edwin prenait un bain dans les Marches du Nord, à un bon millier de kilomètres d'Al-Vor. Je n'ai pas eu de nouvelles d'Ellana ni de Siam depuis une éternité, et voilà que nous nous retrouvons ensemble à affronter un Ts'lich et des assassins qui t'ont…

Ellana posa une main ferme sur l'épaule de l'analyste.

– Tu ne changeras donc jamais, commenta-t-elle avec un sourire railleur. Des questions, toujours des questions et jamais une seconde pour écouter d'éventuelles réponses !

Maître Duom voulut protester. Ewilan profita de ce qu'il prenait une profonde inspiration, prélude à une de ses diatribes coutumières, pour continuer :

– Nous sommes dans l'autre monde, dans un endroit nommé l'Institution. Éléa Ril' Morienval m'y a détenue prisonnière jusqu'à ce que Salim et Maniel me libèrent. Elle étudie les pouvoirs psychiques et je la soupçonne de vouloir envahir

Gwendalavir, peut-être en s'appuyant sur la technologie qui a cours ici. Salim et moi avons délivré les enfants qu'elle avait asservis, mais nous sommes tombés dans un piège. Le Ts'lich allait tuer Salim, il y a eu un flash dans ma tête, une déchirure dans l'Imagination, et vous êtes apparus. Je ne sais ni comment ni pourquoi. Enfin si, je sais pourquoi. Je vous ai appelés ! Comme on appelle un miracle...

Elle désigna les cages de verre dans lesquelles quatre créatures gélatineuses s'agitaient mollement.

– Des gommeurs ! précisa-t-elle. Avec ces bestioles dans la pièce je suis incapable de dessiner, pourtant leur présence n'était pas nécessaire. Avant mon évasion, Éléa Ril' Morienval m'a utilisée comme cobaye avec tant d'acharnement que j'ai failli y laisser ma peau. À cause d'elle je ne suis plus fichue d'effectuer le grand pas, alors l'imposer à distance à quatre personnes...

Maître Duom ouvrit la bouche, mais Edwin leva la main, lui intimant le silence.

– Partons d'ici, décida-t-il. Nous discuterons plus tard de ce qui est possible et de ce qui ne l'est pas. Ewilan, tu ne peux vraiment pas nous faire regagner Gwendalavir ?

– Non.

– Et nous faire quitter cet endroit ?

– Pas tant que nous serons à portée des gommeurs.

Siam sortit le sabre qu'elle avait rengainé et s'approcha d'une des cages. Elle abattit le pommeau de son arme de toutes ses forces, sans obtenir le moindre résultat. Ellana la rejoignit et observa le socle qui soutenait la cage.

– Un mécanisme permet d'élever ou d'abaisser l'ensemble, mais il est hors de portée, annonça-t-elle.

– Très bien, décida Edwin, nous passerons par la porte.

– Inutile d'aller bien loin, précisa Ewilan. Dès que l'Imagination sera accessible je pourrai vous placer en sécurité.

– Merci, répondit Edwin de sa voix posée.

Ewilan contempla le carnage environnant, les gardes inconscients, le corps du Ts'lich ; elle s'empourpra.

– Euh… Je suis désolée. Merci à vous mes amis, vous… sans vous… Bon sang que je suis nulle !

Ellana, qui l'observait depuis la fin de l'affrontement, la prit dans ses bras. Ces cheveux courts en bataille, ces traits émaciés, ce corps amaigri… Elle avait tellement changé, tellement souffert… Comment parvenait-elle à tenir le coup ?

Ewilan se dégagea doucement, la gorge nouée.

– Il vaut mieux que tu me lâches, sinon je vais me mettre à pleurer et ce n'est pas le moment.

Le regard d'Ellana se durcit. Ewilan lui était aussi chère qu'une sœur, Éléa Ril' Morienval ne perdait rien pour attendre.

Edwin chargea Maniel sur son dos, aidé par Salim que sa rencontre avec le Ts'lich avait perturbé au plus haut point. Il avait croisé la mort de près, de très près, et cette vision allait alimenter ses cauchemars. Pour longtemps.

La porte qu'avaient empruntée Ewilan et Salim était verrouillée, ce qui fit sourire Ellana. La marchombre travailla la serrure, le temps d'une respiration, et la poignée joua librement. Siam se glissa dans le hall, son sabre à la main. Elle faisait irrésistiblement penser à un chat. Un chat capable d'égorger un guerrier de cent kilos...

Il n'y avait personne dans le hall et, lorsque la porte fut refermée, Ewilan sentit l'accès aux Spires se dégager.

– Je peux à nouveau dessiner, annonça-t-elle. Je voulais vous emmener chez les parents adoptifs de Mathieu, mais j'ai réfléchi. Je connais un endroit où nous serons vraiment en sécurité.

– Un endroit où on pourra s'occuper de Maniel ? s'enquit Edwin.

– Un endroit où on s'est occupé de moi alors que j'étais dans le même état que lui.

La voix d'Ewilan avait vacillé. Ellana la contempla un instant avant de réagir :

– Tu étais...

– Oui.

– Commence par lui, ordonna Edwin en désignant l'homme-lige qu'il avait étendu à terre. Ce lieu ne me plaît pas, je sens dans l'air une tension croissante. Dépêchons-nous.

Sans plus attendre, Ewilan saisit la main ravagée de Maniel et disparut.

Elle revint très vite, repartit avec maître Duom puis avec Salim. Elle emmena ensuite Ellana, Siam pour emporter finalement Edwin.

Ils venaient de quitter le hall lorsque la porte de l'ascenseur s'ouvrit sur une escouade de gardes armés de fusils d'assaut.

Trop tard.

2

Bien sûr, ça faisait du monde…
Des gens très particuliers…
Sans compter les quatre petits…
Le blessé…
Mais bon…

Une euphorie stimulante coulait dans les veines du vieux Caussenard, pareille à celle qui le faisait vibrer dans sa jeunesse quand, du haut de la Dent de l'Ouille, il parlait à une pleine lune de printemps. Une joie simple, un brin de folie, le sentiment de vivre un moment de vraie vie.

Maximilien Fourque fit circuler une deuxième bouteille de vin de noix. Plus que trois dans sa cave, mais il s'en moquait éperdument. La table de la pièce à vivre, pourtant prévue pour les grandes familles d'une époque révolue, était juste assez large pour accueillir les convives de cette nuit si particulière.

Edwin remercia le maître des lieux et se servit un verre. Saisissant, cet Edwin. D'une stature normale, pas volubile, plutôt discret même, mais paré d'une aura qui imposait le respect et l'attention. Il avait beau être arrivé en caleçon, son charisme avait tout de suite écrasé Maximilien, pourtant peu impressionnable.

La bouteille passa ensuite entre les mains de Duom Nil' Erg. Encore un personnage étonnant. Un peu moins âgé que Maximilien, il paraissait bénéficier d'une sagesse acquise durant plusieurs vies consécutives. Il portait sur les gens et les choses un regard pénétrant que ses paroles souvent piquantes ne réussissaient pas à dissimuler.

Les deux jeunes femmes assises près de lui débordaient d'une énergie presque animale qui les rendait très proches l'une de l'autre. Si la blonde sortait à peine de l'adolescence et manquait un peu de maturité, la brune témoignait d'une profondeur d'âme et d'une liberté de pensée qui ravissaient Maximilien. Une femme qu'il aurait aimé rencontrer cinquante ans plus tôt...

Maniel, le géant au corps fracassé, reposait sur le lit que Camille avait occupé pendant sa convalescence. L'état de l'homme-lige avait tiré une grimace soucieuse à maître Duom lorsqu'il avait entrepris de panser ses blessures. L'analyste avait répondu par une moue dubitative et un grognement à la question silencieuse que lui avait posée Edwin. Réponse sibylline que Maximilien avait traduite sans peine : Maniel avait peu de chances de s'en tirer.

Des quatre enfants arrachés à l'Institution, seul le plus âgé, Illian, était conscient. De petite taille, le teint mat et les cheveux noirs, il était assis sur un banc, blotti contre Camille, observant les convives à la dérobée, sursautant et tremblant dès qu'on faisait mine de s'intéresser à lui. Les trois autres dormaient dans l'alcôve proche.

– Drogue! avait annoncé laconiquement maître Duom après avoir soulevé leurs paupières.

Leurs corps, bien qu'étiques, ne présentaient pas les ravages que Salim avait constatés sur celui d'Ewilan, ni les affreuses blessures qui couvraient celui de Maniel. Ils ne paraissaient pas en danger, ils avaient surtout besoin de repos et de temps pour que leurs organismes se purgent du poison qui les saturait.

Après un moment d'agitation intense durant lequel il avait fallu parer au plus pressé, s'occuper de Maniel, rassurer Illian, ausculter les autres enfants, vêtir Edwin, le calme était revenu sur Ombre Blanche.

Maximilien avait tiré de ses réserves un jambon cru dont il avait coupé d'épaisses tranches. Il avait également placé au centre de la table une miche de pain et une dizaine de picodons. Il écoutait maintenant Ewilan – il fallait s'habituer à ce prénom puisque c'était le sien – raconter ses aventures à ses amis.

Il n'avait eu droit, quelques jours plus tôt, qu'à une version édulcorée et écarquilla plusieurs fois les yeux en prenant conscience du monde d'où arrivaient ses invités et des péripéties qu'avait vécues Ewilan. Quand elle évoqua le rôle que lui, Maximilien, avait tenu, les regards se tournèrent dans sa direction.

Pour la première fois depuis une éternité, il se sentit rougir. La petite dressait de lui un tableau si élogieux, le décrivant comme un être d'une bonté si extraordinaire, d'une générosité si désintéressée que les autres allaient forcément éclater de rire.

Ce ne fut pas le cas. Edwin approuva gravement d'un hochement de tête, maître Duom le contempla d'un œil où l'estime avait remplacé la simple gratitude et les deux jeunes femmes lui dédièrent des sourires lumineux qui amplifièrent encore son trouble.

Heureusement pour sa modestie et son besoin de discrétion, Ewilan enchaîna sur la suite de son équipée. Lorsqu'elle eut fini, Edwin croisa ses mains derrière sa nuque et prit la parole :

– Éléa Ril' Morienval ! Maudit soit le jour où cette vipère est née ! Tu dis, Ewilan, qu'elle veut utiliser les armes de ce monde pour conquérir Gwendalavir ?

– Oui, c'est ce que j'ai cru comprendre. Ces armes ne fonctionnent pas chez nous et elle cherche à les adapter. Ce serait catastrophique si elle réussissait, pourtant je doute que ce soit son principal objectif...

– Les enfants ?

– Oui. Ce n'est sans doute pas elle qui a créé l'Institution, j'ai l'impression en revanche qu'elle en a pris le contrôle. Elle étudie les pouvoirs mentaux pour parvenir à ses fins dans sa lutte contre l'Empire. J'ai compris qu'elle cherchait un moyen de réduire à l'impuissance les dessinateurs alaviriens et elle a laissé entendre que ses propres capacités seraient bientôt irrésistibles.

– Le fonctionnement du Don l'a toujours davantage passionnée que sa simple utilisation, intervint maître Duom. Si ce monde lui offre des outils d'analyse dont nous ne disposons pas en Gwendalavir, il est possible qu'elle acquière des connaissances inédites, et donc dangereuses, sur l'Imagination. Les tests auxquels elle se livre certainement expliquent la présence des gommeurs et celle des enfants. Il est indubitable que si elle parvenait à ses fins, nous serions dans de sales draps. Sans compter les dégâts que provoqueraient les armes qu'elle cherche à utiliser.

Edwin abattit son poing sur la table.

– Par le sang des Figés ! Cette goule continuera-t-elle longtemps à répandre le mal ? Il faut la mettre hors d'état de nuire. Ewilan, tu ne détiens aucun moyen de prévenir l'Empereur ?

– Aucun.

– Tant pis, nous allons nous débrouiller, trancha Edwin. Je veux savoir avec certitude si le danger provient uniquement d'Éléa Ril' Morienval ou si un groupe d'individus de ce monde, le gouvernement dans le pire des cas, a des visées sur Gwendalavir. Ewilan, tu vas me ramener dans cette Institution.

Il ne s'agissait pas d'une demande, mais bel et bien d'un ordre. Ewilan ne se démonta pas.

– Ce serait une mauvaise idée. Une très mauvaise idée ! Nous nous en sommes échappés deux fois, les deux fois grâce à une chance inouïe ; y retourner serait du suicide.

– C'est mon problème, Ewilan !

– Attends! Bernard Boulanger, le père adoptif de Mathieu, était décidé à mener une enquête sur le centre. C'est un homme déterminé qui connaît énormément de monde. Il a peut-être obtenu des renseignements qui nous éviteraient de courir des risques inutiles.

Edwin resta pensif un instant puis acquiesça.

– Nous ne pouvons pas attendre. Je sais qu'il est tard, mais peux-tu me conduire chez lui?

Ewilan sourit, rassérénée. Tout plutôt que l'Institution!

– Je peux faire mieux, affirma-t-elle. Si Maximilien est d'accord pour qu'on envahisse un peu plus Ombre Blanche, je pars le chercher. Ainsi, s'il y a des décisions à prendre, nous les prendrons tous ensemble.

Le vieux Caussenard haussa les épaules, manière simple de signifier à Ewilan qu'elle était chez elle et pouvait agir comme bon lui semblait.

– À tout de suite, lança-t-elle avant de disparaître.

3

Il fallut une bonne minute à Bernard Boulanger pour se remettre de ses émotions. Être réveillé en pleine nuit, s'entendre raconter une histoire hallucinante, effectuer un pas sur le côté – moyen de transport auquel, entre parenthèses, il était difficile de s'habituer – et se retrouver enfin face à des personnes tout droit sorties d'un film d'heroic-fantasy, cela faisait beaucoup pour un seul homme !

Savoir que Gwendalavir existait et en connaître les particularités était une chose, découvrir en chair et en os quelques-uns de ses représentants avec armes et vêtements en était une autre ! Il parvint toutefois à se ressaisir, s'assit et accepta le verre de vin que lui tendait Maximilien même s'il l'eût volontiers troqué contre un bol de café.

Pour faciliter les échanges, Ewilan lui brossa un résumé de la situation. Quand elle eut fini, le journaliste se racla la gorge avant de commencer.

– Les éléments que j'ai réussi à glaner éclaireront peut-être la situation sous un jour nouveau ou nous offriront, tout au moins, des pistes intéressantes. L'Institution est un programme récent, à peine deux ans. Un projet ultrasecret. Il dépend du ministère de la Recherche et de celui de l'Intérieur, mais on compte sur les doigts d'une main le nombre de personnes qui, dans ces deux administrations, en ont connaissance. Il semblerait qu'au départ il se soit agi d'un laboratoire de recherches sur les phénomènes paranormaux, les perceptions extrasensorielles et autre psychokinésie. Ces facultés ne sont pas reconnues ici comme elles le sont en Gwendalavir. Dans notre monde, elles relèvent davantage de la littérature fantastique que de la science et, s'il veut les étudier, un gouvernement doit faire preuve de la plus grande discrétion. J'ai tout de même réussi à comprendre que, depuis quelques mois, l'Institution avait changé, ce que j'explique maintenant par le coup de force de cette Éléa Ril' Morienval.

– S'il s'agit d'un programme ultrasecret tel que vous nous l'avez présenté, intervint maître Duom, comment a-t-elle pu en prendre le contrôle ?

– Pour limiter les risques de fuites, les initiateurs du projet ont octroyé à l'Institution une autonomie presque totale, des formalités administratives simplifiées à l'extrême et aucune supervision digne de ce nom. C'est un monde clos. Ce qui se passe à l'intérieur de ses murs reste confidentiel.

– Ne vous offusquez pas, mais ces explications ne tiennent pas la route !

Bernard Boulanger observa le vieil analyste qui venait de l'apostropher. Il marqua un temps d'hésitation puis reprit la parole.

– Vous avez raison. Le secret a beau favoriser les dérapages, il serait stupide de penser qu'Éléa Ril' Morienval ait pu, seule, s'emparer d'une telle structure. Elle a obligatoirement reçu de l'aide.

– De qui ?

– Je ne vois qu'une possibilité et j'avoue qu'elle m'inquiète beaucoup. Les hommes qui gardent l'Institution et avec lesquels vous avez eu maille à partir sont liés à des groupuscules d'extrême-droite. Or on assiste ces dernières années dans le monde à un retour en force de ces mouvements. Il est effrayant de constater à quel point certaines institutions, y compris gouvernementales, sont aujourd'hui noyautées. Si votre Sentinelle a pris contact avec l'une de ces organisations, elle a pu bénéficier d'appuis non négligeables.

– Cela signifie-t-il que nous n'avons aucun moyen d'en savoir plus ? s'alarma Edwin.

– Attendez, je n'ai pas fini. Un homme a participé au lancement du projet. Un homme de l'ombre qui hante les couloirs de l'État et possède beaucoup plus de pouvoir que bien des ministres. Bruno Vignol. Un nom que mes compatriotes ignorent, tant il s'applique à fuir toute publicité. Il n'a pas de secrétariat connu, n'accorde aucun entretien, mais je sais comment le contacter. Si vous souhaitez vraiment en apprendre davantage sur l'Institution, c'est par lui qu'il faut commencer ! Bruno Vignol est un passionné d'histoire ancienne. Il assiste fréquemment aux cours dispensés au Collège de France qui satisfont à la fois sa soif de connaissance et son désir de discrétion puisque aucune inscription n'est nécessaire. Un de ces cours a lieu dans deux jours, et je sais de source sûre qu'il y participera. Je vous propose de venir avec moi à Paris pour tenter de le rencontrer.

Edwin prit le temps de réfléchir avant d'accepter.

– Tant qu'Ewilan n'aura pas recouvré la totalité de son pouvoir, précisa-t-il, nous serons dans l'incapacité de regagner Al-Jeit et je crains pour la vie de Maniel. Pouvez-vous faire quelque chose pour lui ? Et pour les enfants ?

– Maniel peut être hospitalisé dans une clinique où on ne posera pas trop de questions, proposa le journaliste. Je crois en revanche que les enfants, puisque leurs jours ne sont pas en danger, seront mieux ici tant que nous n'aurons pas parlé à Bruno Vignol. Ils constituent une preuve accablante des dérives de l'Institution et il importe de les garder hors d'atteinte des individus à qui nous avons affaire. Je reviens toutefois à ce que vous avanciez il y a un instant. Pourquoi Altan ou Élicia ou même Mathieu ne viennent-ils pas chercher Maniel ? Ils sont tous capables d'effectuer le grand pas !

– Ils sont partis en expédition de l'autre côté de la mer des Brumes, lui expliqua Edwin. Nous n'arrivons plus à les contacter.

– Cela veut dire que...

– Non, ce n'est pas particulièrement inquiétant. Nous savons depuis longtemps que le désert qui s'étend à l'Est rend impossibles les communications entre dessinateurs. Ce type de phénomène est fréquent chez nous. Je crains en revanche qu'ils n'aient fait ce voyage pour rien. Éléa Ril' Morienval a affirmé que des hommes vivaient ailleurs qu'en Gwendalavir, mais il est probable qu'elle ait menti. Il n'y a personne à l'Est.

Illian, qui avait suivi l'échange en tenant la main d'Ewilan serrée entre les siennes, releva la tête.

– Ce n'est pas vrai ! affirma-t-il.

Il fut immédiatement la cible de huit regards surpris qui le firent se recroqueviller. Ewilan lui caressa doucement les cheveux.

– Pourquoi dis-tu cela, Illian ?

Le jeune garçon planta ses yeux dans les siens, y puisant la force de s'exprimer.

– Moi, je croyais que c'était à l'Ouest qu'il n'y avait rien. À l'Est, après la mer des Brumes et le désert Ourou, il y a Valingaï.

– Mais… Tu ne peux savoir ça…

– Je le sais ! affirma Illian avec véhémence. Valingaï, la cité des hommes forts. C'est là que je vivais avant que la sorcière ne m'enlève !

4

Bruno Vignol se hâtait vers le Collège de France. Le cours sur l'Empire achéménide débutait à seize heures et il était hors de question qu'il arrive en retard.

Il se déplaçait essentiellement en métro alors qu'il aurait pu, sur un simple coup de fil, disposer d'une limousine et d'une escouade de motards de la gendarmerie pour lui ouvrir la route. Il en faisait une question de principe, lui qui, à cinquante ans, avait toujours refusé la moindre prérogative.

En métro et seul. Plutôt bel homme, de taille moyenne, une calvitie prononcée qu'il ne cherchait pas à dissimuler, des yeux d'un bleu très pâle, il entretenait sa forme physique par la pratique régulière de la natation et tenait par-dessus tout à son indépendance. Il n'avait donc jamais accepté la présence d'un garde du corps même si, comme le lui avaient fait remarquer nombre de ses amis, sa récente intervention lors d'un conseil de sécurité pour dénoncer les dérives des mouvements d'extrême-droite lui avait attiré des haines virulentes.

Bruno Vignol avait été l'un des premiers à affirmer que, si les skinheads n'étaient pas tous des néonazis, la mouvance bonehead était, elle, composée de dangereux fascistes qu'il fallait à tout prix combattre. Cette déclaration n'était pas censée être médiatisée, pourtant des journaux l'avaient rapportée et il avait rapidement reçu des menaces de mort.

Il repensa à ces lettres anonymes en apercevant devant lui dans le couloir du métro un groupe d'individus aux crânes rasés, chaussés de boots ferrées aux lacets blancs, vêtus de tenues militaires bardées d'insignes clinquants, qui toisaient agressivement les passants. Leur présence le déconcerta car les boneheads, ou « bones » comme ils se faisaient appeler, ne fréquentaient habituellement pas le cinquième arrondissement. Un pressentiment le fit ralentir. Les bones avaient tourné leurs yeux dans sa direction, alors qu'il se trouvait à plus de vingt mètres d'eux, et le fixaient avec des regards de prédateurs.

Bruno Vignol n'hésita pas. Jugeant que changer de direction ne lui ferait pas perdre de temps, il rebroussa chemin. Tout en allongeant le pas, il se traita mentalement d'imbécile. Ces types étaient certes des boneheads mais ils n'avaient aucun moyen de le reconnaître, il s'inquiétait pour rien. Il tourna néanmoins la tête.

Son rythme cardiaque s'emballa.

Trois crânes rasés le suivaient !

Il faillit s'arrêter pour leur demander des explications mais repoussa cette idée aussi vite qu'elle était venue. Les menaces proférées dans les lettres anonymes étaient trop précises pour qu'il s'autorise le moindre risque. Il accéléra le pas.

La sortie qu'il avait prévu d'emprunter se dessinait au sommet d'un escalier lorsqu'un nouveau groupe de boneheads apparut, lui coupant délibérément la voie. Il hésita quelques secondes. Forcer le passage ? Appeler à l'aide ? La mine patibulaire des individus qui lui faisaient face et le peu de monde dans le métro à cette heure de la journée l'incitèrent à choisir la fuite. Il tourna à droite, descendit une volée de marches presque en courant, et s'engouffra dans une rame. Il croisa les doigts pour que le métro démarre mais les portes restèrent désespérément ouvertes.

Neuf boneheads entrèrent à sa suite.

Bruno Vignol jeta autour de lui un regard inquiet. Il n'y avait dans le wagon, outre les bones et lui, que deux grands-mères qui contemplaient les brutes aux habits militaires en serrant leur sac contre leur poitrine. Il envisageait de descendre, en force s'il le fallait, lorsque les portes se refermèrent dans un chuintement pneumatique. Le métro s'ébranla.

Comme s'ils avaient attendu ce moment, les crânes rasés se mirent en mouvement. Un d'entre eux vint s'asseoir en face de lui, trois se plantèrent devant les grands-mères tandis que les autres se postaient aux extrémités du wagon. Bruno Vignol sentit un long frisson lui parcourir le dos. Il fallait arrêter de croire à des coïncidences. Les hommes qui avaient promis de le tuer avaient retrouvé sa trace !

Étrangement, celui qui était assis à un mètre de lui se contentait de le regarder. Pourquoi ne tentait-il rien ? Il comprit lorsque le métro s'arrêta à la station suivante. Les grands-mères s'empressèrent de descendre, des crânes rasés se placèrent devant la porte, dissuadant par leur attitude hostile les voyageurs sur le quai de monter dans ce wagon, tandis que d'autres se positionnaient de manière à lui interdire de sortir.

Bruno serra les mâchoires. La rame allait repartir. Les bones seraient libres de...

– Pardon... Excusez-moi... Pardon...

Un adolescent, faisant fi du barrage, venait de se faufiler dans le wagon. Un garçon d'une quinzaine d'années, noir, des dizaines de tresses encadrant un visage rond et souriant.

« Il a du cran », ne put s'empêcher de penser Bruno Vignol en observant les regards haineux que lui lançaient les boneheads.

Comme s'il n'avait pas conscience de leur présence, le garçon se glissa jusqu'à lui alors que toutes les autres banquettes étaient libres.

– Je peux m'asseoir à côté de vous, m'sieur ?

Bruno Vignol acquiesça de la tête, incapable de parler tant la situation lui semblait irréelle. Lui, un haut responsable de l'État, coincé dans le métro par un groupe de nazillons décidés à lui trouer la peau et ce jeune Noir qui se mettait au milieu comme si de rien n'était...

– Beau temps, non ? demanda le garçon au bone qui lui faisait face.

L'homme, un échalas aux oreilles et au nez couverts de piercings, arborant ostensiblement une croix gammée au bout d'une chaîne, lui renvoya un regard dans lequel brillait une flamme malveillante.

– Toi, le black, au prochain arrêt tu descends ou alors c'est moi qui te descends. Compris ?

La brute sourit, satisfaite de son jeu de mots.

– Ce serait indécent.

– Hein ?

– … Décent. C'est bien ce que je prétends, expliqua l'adolescent avec un grand sourire.

– Tu…

– Je ?

Le bonehead explosa. Avec un grognement de fureur, il balança son poing dans la figure de son vis-à-vis.

Bruno Vignol poussa un cri catastrophé.

Il aurait dû agir, intervenir…

Mais l'adolescent avait évité le coup en effaçant souplement ses épaules. Il profita du déséquilibre de son adversaire pour lui attraper le nez et lui tirer sauvagement la tête sur le côté, lui arrachant quelques piercings au passage. Il colla la nuque du bone contre sa poitrine et descendit la main jusqu'à son mollet.

Avec un bruit feutré, une lame surgit entre ses doigts. Non pas le couteau à cran d'arrêt que Bruno Vignol se serait attendu à découvrir, mais un impressionnant poignard long de trente centimètres. Son propriétaire en appuya le fil contre la gorge du bone qui, au contact de l'acier, se figea.

– Descendre, descendre… On va changer de verbe, histoire d'enrichir ton vocabulaire, annonça le garçon sur un ton presque joyeux. Toi, crâne d'œuf, tu conjugues « pas bouger » et tes copines conjuguent « reculer jusqu'au bout du wagon ». À la moindre erreur je vous explique « égorger » et « baigner dans son sang ». Exécution !

Il se tourna vers Bruno Vignol alors que les boneheads obtempéraient en maugréant.

– Je m'appelle Salim, m'sieur, et je descends à la prochaine. Ça vous dit ?

5

La rame s'arrêta en douceur. D'une pression de son poignard, Salim fit lever le bonehead. Il le guida jusqu'à la porte et s'effaça pour permettre à Bruno Vignol de sortir. Lorsque celui-ci fut sur le quai, Salim se pencha à l'oreille de son otage.

– Ciao, mon biquet, ce fut un plaisir de voyager avec toi.

– Je te retrouverai, cracha le bone. Je te retrouverai et ce jour-là, je te crèverai. En prenant tout mon temps !

– C'est ça, ironisa Salim, personne n'est pressé.

– Tu vas souffrir ! Beaucoup souffrir !

– Ça c'est cruel, s'indigna Salim, et ingrat. Je t'ai quand même tenu dans mes bras pendant tout le trajet. D'ailleurs, à ce sujet, tu devrais te laver plus souvent, tu sais ? Et encore… je crois que c'est de l'intérieur que tu pues ! Maintenant, si ça ne te fait rien, je te quitte. C'est pas que je m'ennuie mais je ne peux quand même pas passer la journée à m'amuser avec tous les rigolos que je rencontre. À la prochaine, vieux !

Il appuya la semelle de sa chaussure contre le postérieur du bone et, d'une brutale poussée, l'envoya s'étaler au pied de ses copains. Sans attendre, il rejoignit Bruno Vignol qui, stupéfait, avait assisté à la scène sans bouger.

– On met les gaz, le pressa Salim. Ces bestiaux n'ont généralement pas le sens de l'humour...

Ils s'enfuirent.

Avec un flot d'invectives, les boneheads s'élancèrent à leurs trousses.

Il n'y avait pas grand-monde dans les couloirs et les rares voyageurs s'écartaient pour leur céder le passage, se pressant contre les murs lorsqu'ils découvraient l'identité de leurs poursuivants.

À la surprise de Bruno Vignol, teintée d'une sourde inquiétude, Salim ne se dirigea pas vers la première sortie mais courut jusqu'à un escalier devant lequel un homme faisait les cent pas en compagnie d'une jeune fille blonde aux longs cheveux nattés.

Au bruit de leur course, l'homme vint à leur rencontre.

– Monsieur Vignol ? Bonjour. Je m'appelle Edwin Til' Illan.

Déjà les bones étaient sur eux.

L'échalas que Salim avait menacé menait la course, un rictus de haine déformant son visage maculé par le sang des piercings arrachés.

– Stop !

L'ordre d'Edwin avait claqué, si péremptoire que les boneheads s'arrêtèrent net. Le maître d'armes les jaugea d'un regard impénétrable, le gris acier de ses yeux et la force qui s'en dégageait les immobilisant aussi sûrement que des menottes.

– Voilà ce que nous allons faire, articula-t-il. Je pars avec ce monsieur et ce jeune homme. Je vous laisse sous la surveillance de Siam. Si vous ne faites pas la bêtise de vouloir nous suivre, il ne vous arrivera rien.

Il avait montré du menton la jeune fille blonde qui s'avança en souriant. Elle était jolie, gracile, presque frêle. Bruno Vignol recommença à douter de la réalité de ce qu'il vivait.

Comme si tout avait été dit, Edwin lui saisit le bras et l'entraîna vers le sommet des escaliers. Ils avaient presque gagné la sortie lorsque Bruno Vignol se reprit. D'une secousse, il se libéra de la poigne d'Edwin et se tourna vers lui, furieux.

– Vous êtes inconscients, cracha-t-il. Ces types en bas sont des tueurs. Il faut avertir la police, redescendre, votre jeune amie va se faire...

– Vous croyez qu'ils vont tenter de passer? lui demanda Edwin sans se départir de son calme.

– C'est évident, bon sang!

– Alors tant pis pour eux.

Bruno Vignol le fixa, interdit, puis interpella Salim.

– Préviens la police, mon garçon. Je vais aider cette pauvre fille!

Sans plus attendre, il se précipita dans les escaliers. Edwin approuva d'un hochement de tête satisfait avant de se tourner vers Salim.

– Il me semble correct. Qu'en dis-tu?

– Il a une tête qui me revient.

– Un peu léger comme argument.

– Il n'a pas hésité une seconde à redescendre alors qu'il sait parfaitement que les types en bas ne sont pas des tendres. Je crois qu'on peut lui faire confiance. On y va?

– On y va.

Edwin et Salim échangèrent un sourire et firent demi-tour.

Bruno Vignol faillit tomber dans les escaliers, se rattrapa de justesse, sauta les quatre dernières marches et atterrit au milieu d'un carnage.

Six des neuf boneheads étaient étendus, inanimés, dans des positions qui laissaient présumer du choc de l'affrontement. Siam était en train de massacrer les trois derniers.

Au moment précis où il arrivait, le pied droit de la jeune Frontalière fouetta l'air et percuta une mâchoire. Bruno Vignol ne put retenir une grimace en entendant l'os craquer. Le bone cracha une poignée de dents ensanglantées. Ce fut son dernier geste conscient. Un atémi dans les côtes le plia en deux tandis qu'un coup de coude sur la nuque l'envoyait rejoindre ses amis au pays des songes.

Les deux bones encore debout se concertèrent du regard avant de bondir à l'attaque. Le premier fut arrêté net par la rencontre sauvage de son entre-jambe avec le genou de Siam. Il ouvrit la bouche dans un hurlement muet et bascula en arrière.

Le second, fauché au niveau des chevilles, tomba à terre. Siam se pencha et lui saisit la tête, presque avec tendresse. Nouvelle grimace de Bruno Vignol lorsque la frêle jeune fille abattit le front du bone de toutes ses forces sur la première marche des escaliers.

Siam se redressa et lui adressa un sourire lumineux.

– Ce n'est pas vraiment ma faute, se justifia-t-elle. Après tout, rien ne les obligeait à forcer le passage...

– Est-ce qu'ils sont...

– Morts ? Bien sûr que non, voyons ! Les trois derniers sont un peu plus abîmés que les autres mais je doute que ça gêne quiconque. Vous êtes revenu pour moi ? C'est drôlement gentil !

Bruno Vignol la contemplait, bras ballants, tandis que les passants contournaient soigneusement le lieu de l'affrontement.

– Qui... qui êtes-vous donc ? balbutia-t-il.

Edwin, qui venait d'arriver, posa une main rassurante sur son épaule.

– Des amis ont retenu une table dans une brasserie proche. Si vous le voulez bien, nous pourrions aller boire une bière et vous expliquer tout ça.

6

Maximilien avait accepté sans hésitation de veiller sur Maniel et les quatre enfants arrachés à l'Institution, le temps qu'une solution soit trouvée pour eux. Le vieux Caussenard, s'il était apte à prodiguer des soins à Maniel, n'avait toutefois qu'une vague idée de ce que signifiait s'occuper d'enfants, aussi Bernard Boulanger avait-il contacté son épouse pour lui demander de l'aide. Martine était arrivée sans tarder et, après avoir jaugé la situation, avait pris les choses en main.

Illian avait pleuré en apprenant qu'Ewilan allait le quitter. Il s'accrochait à elle, refusait de la lâcher, la suppliant de l'emmener. Elle avait eu du mal à le consoler et à le convaincre que son absence serait brève. Martine Boulanger avait fini par prendre Illian dans ses bras et, sans se laisser attendrir par ses larmes, l'avait entraîné à l'intérieur de la ferme tandis qu'Ewilan s'éloignait.

Les Alaviriens avaient alors suivi Bernard Boulanger jusqu'à Paris en train, expérience qui avait intrigué Ellana, enchanté Siam et fortement déplu à maître Duom.

Avant le départ, l'analyste avait insisté pour qu'Ewilan les emmène par un pas sur le côté, mais elle avait refusé :

– Lorsque nous serons dans la capitale, nous devrons certainement nous séparer et, même si nous restons en contact grâce à l'Art du Dessin, il est important que chacun d'entre vous soit capable de se débrouiller seul. Il nous reste trois jours avant de rencontrer Bruno Vignol et un voyage en train constituera une excellente initiation à la réalité de ce monde.

L'argument était irréfutable et l'analyste avait dû s'incliner. À la grande joie d'Ewilan mêlée d'une indiscutable dose de fierté, les Alaviriens s'étaient fondus sans difficulté à la foule parisienne et nul ne se serait douté que, quelques jours plus tôt, ils n'avaient encore jamais vu de voiture, de bus ou de métro.

Le seul incident notable avait eu lieu gare de Lyon lorsqu'une dizaine d'adolescents, séduits par la silhouette de Siam et leurrés par ses airs de lycéenne, avait entrepris de la chahuter. La jeune Frontalière leur avait d'abord répondu en riant mais, devant leur insistance, son sourire avait très vite disparu. Les adolescents, inconscients du danger qu'ils couraient, avaient continué à la provoquer. Ellana était intervenue juste avant que la plaisanterie ne tourne au massacre.

Un peu plus tard, après avoir mangé dans une pizzeria et supporté les critiques acerbes de maître Duom sur la qualité du repas qu'on leur avait servi, ils étaient passés à l'action.

Il avait été convenu qu'ils aborderaient Bruno Vignol sur son trajet vers le Collège de France. Ne connaissant pas précisément son itinéraire, ils s'étaient postés tout au long de son parcours le plus probable. Grâce à son réseau de connaissances, Bernard Boulanger avait obtenu une photo de lui qu'il avait dupliquée et distribuée aux Alaviriens. Ellana avait repéré Bruno Vignol au moment où il fuyait les boneheads. La marchombre aurait été parfaitement capable de régler leur compte aux neuf bones mais, peu à son aise dans ce monde technologique et souterrain, elle n'avait pas réussi à prendre le métro à temps. Après une série de jurons vexés elle avait contacté Ewilan, qui avait relayé l'information jusqu'à Salim. Le garçon avait sprinté pour intervenir une station plus loin. Le reste n'avait posé aucun problème.

Il leur avait été en revanche impossible de s'accorder sur ce qu'il fallait révéler à Bruno Vignol. Edwin estimait savoir jauger les hommes et il appréciait celui qu'il venait de rencontrer. Il trancha donc lorsqu'ils furent installés dans la salle tranquille d'une brasserie et que Bruno Vignol commença à se remettre de ses émotions.

– Monsieur Vignol, commença-t-il, je souhaiterais vous poser une question avant de répondre aux vôtres. Êtes-vous capable d'écouter une histoire du début à la fin sans idée préconçue, en attendant de posséder toutes les informations pour porter un éventuel jugement ?

Bruno Vignol, à qui on avait présenté les personnes assises autour de la table, opina, un sourire sur les lèvres.

– Sans trop de difficultés, je crois. Sachez toutefois que quel que soit l'intérêt que je porterai à votre
histoire, je ne pourrai vous consacrer beaucoup de
temps. J'ai un agenda chargé et il est impératif qu'à
dix-huit heures je règle un dossier urgent. Cela étant
dit, je suis prêt à vous entendre.

Le vieux bonhomme au nom imprononçable voulut intervenir, mais Edwin ne lui en laissa pas le
temps.

– Non, Duom. Si nous voulons être efficaces, nous
devons accepter de courir des risques. Ellana, tu
racontes?

La jeune femme aux cheveux noirs et à la silhouette
élancée acquiesça de la tête et prit la parole.

– Voilà...

À dix-huit heures, Bruno Vignol s'excusa et passa
un bref coup de fil pour annuler tous ses rendez-
vous.

À vingt heures, un serveur, discrètement appelé
par Bernard Boulanger, leur apporta de quoi se sus-
tenter.

À vingt-deux heures, Ellana arrêta de parler.

Elle avait été relayée par ses amis pour certains
épisodes, mais avait narré la plus grande partie de
l'histoire. Bruno Vignol la contempla, émerveillé,
alors qu'elle se désaltérait. Il découvrait un nouveau
monde et sentait que cette découverte serait à jamais
liée dans ses souvenirs à la voix d'Ellana Caldin.

– Alors? s'enquit simplement Edwin, ce qui eut
pour effet de le ramener à la réalité.

– Alors, ce que vous m'avez raconté sonne trop juste et s'appuie sur trop de faits incontestables pour que je puisse penser que vous affabulez. Toutefois, avant de décider si nous allons œuvrer de concert, je dois vous demander une preuve. La jeune fille qui se trouve en face de moi possède, prétendez-vous, la capacité d'effectuer ce que vous appelez un pas sur le côté. Qu'elle me conduise jusqu'à cette ferme où sont réfugiés les enfants dont vous m'avez parlé. Je vérifierai ainsi vos dires sur son Don et sur cette Institution qui est au cœur de vos préoccupations et dont, vous en avez conscience, je n'ai pas encore admis l'existence. Est-ce possible ?

Ewilan planta ses yeux dans les siens et lui, l'homme de pouvoir qui manipulait les gens et créait les situations, se sentit soudain désarmé face au violet profond de son regard.

– Si je vous apporte la preuve que vous exigez, nous aiderez-vous ?

– Je serai honnête, jeune fille. Quand je détiendrai cette preuve, ce dont étrangement je ne doute pas, mon soutien vous sera acquis, mais je vous demanderai également le vôtre car, si vous dites vrai, la situation est grave. Peut-être plus grave que vous ne le croyez.

7

Bruno Vignol écarquilla les yeux en découvrant l'aride plateau des Causses qui venait de se substituer à la salle de la brasserie.

Depuis le début, il était convaincu que les étranges personnes qui lui avaient certainement sauvé la vie ne mentaient pas, mais cette certitude ne l'avait pas préparé à la réalité d'un pas sur le côté.

Il déglutit péniblement, observa le paysage sauvage que le soleil couchant parait de couleurs sanglantes puis se tourna vers Ewilan qui lui lâcha la main. Le vent couvrit ses paroles, l'obligeant à répéter en haussant le ton.

– Je ne rêve pas, n'est-ce pas ?

– Non. Tout est réel.

– C'est incroyable. J'ai l'impression de perdre la raison...

– Si cela peut vous rassurer, c'est également l'impression que j'ai eue la première fois que j'ai effectué un pas sur le côté. On finit par s'y habituer. Ombre Blanche se trouve dans une faille à une centaine de mètres d'ici. J'ai préféré ne pas nous y transporter directement afin que vous ayez le temps de vous remettre du trajet.

L'attention le toucha et contribua à lui faire recouvrer son calme. Ils atteignirent rapidement la ferme de Maximilien. Le vieux Caussenard bavardait avec Martine Boulanger près de la vasque tandis qu'Illian jouait avec l'eau. Ce fut lui qui, le premier, aperçut les visiteurs. Il poussa un cri de joie, se précipita en courant vers Ewilan et se jeta dans ses bras.

Prise au piège de son affectueuse étreinte, elle lança un regard désolé à Bruno Vignol avant de tenter de se dégager.

– Illian! gronda-t-elle gentiment. Tu vas me faire tomber. Lâche-moi, s'il te plaît. Illian...

Mais le jeune garçon n'avait pas l'intention de la laisser tranquille.

– Non, protesta-t-il. Tais-toi, ne bouge plus!

L'injonction frappa Ewilan comme un coup de poing au creux de l'estomac. Les mots qu'elle s'apprêtait à prononcer se figèrent dans sa gorge. Elle voulut ouvrir la bouche pour crier, n'y parvint pas. Ses membres devinrent lourds, ses muscles se pétrifièrent. Elle se sentit agressée au plus profond de son être par une volonté aussi brûlante qu'une barre d'acier en fusion. Son souffle se tarit.

Inconscient de ce qui se passait, Bruno Vignol poursuivit son chemin tandis qu'Illian se blottissait contre Ewilan, heureux qu'elle ait cessé de l'embêter avec ses ordres désagréables... Elle suffoquait. Sa seule expérience d'une pareille torture remontait à son combat contre les Ts'liches à Al-Poll, quand les guerriers lézards avaient tenté de la figer. Leur volonté et la sienne s'étaient alors affrontées en un déchaînement d'énergie brute, jusqu'à ce qu'elle prenne le dessus. Illian ne lui voulait aucun mal, mais la pression qu'il exerçait sur elle était bien plus forte que celle que lui avaient imposée les Ts'liches. Il voulait lui témoigner son affection, il la tuait.

Elle renonça à lutter contre cette force irrésistible et utilisa ses derniers éclats de conscience à dessiner. Un dessin simple... un seau d'eau froide qui se déversa sur la tête d'Illian, lui tirant un hurlement de surprise.

La tension sur l'esprit d'Ewilan se relâcha. Elle tituba en arrière alors qu'Illian, trempé, glissait de ses bras et tombait sur les fesses. Il la regarda, interloqué, balançant entre le rire et les larmes.

– Ne refais jamais ça, hoqueta-t-elle.

Puis elle lui saisit la main et l'entraîna vers la ferme. Bruno Vignol s'était déjà présenté. Il jeta un coup d'œil étonné aux vêtements mouillés d'Illian.

– Qu'est-ce que...

Ewilan ne le laissa pas poursuivre.

– Martine, Maximilien, pouvez-vous conduire M. Vignol jusqu'aux enfants ? Je dois parler à Illian. Sans attendre.

Elle fit demi-tour sans se soucier des regards surpris des trois adultes et, tenant toujours la main d'Illian dans la sienne, s'éloigna d'Ombre Blanche. Ils marchèrent ainsi jusqu'à un rocher plat sur lequel elle l'obligea à s'asseoir.

– Qui t'a appris à faire ça ?

– À faire quoi ? demanda le garçon troublé par son air déterminé.

– À imposer ta volonté aux autres. Tu m'as ordonné de me taire, de ne pas bouger et j'ai été forcée de t'obéir !

– Ah, ça... se rasséréna Illian. C'est ainsi que nous vivons à Valingaï. Les forts commandent, les faibles obéissent. C'est normal.

– Ne dis pas n'importe quoi ! s'emporta Ewilan. Il n'y a rien de normal à violer l'esprit de quelqu'un. Tu as failli me tuer !

– Mais je...

– Écoute-moi bien Illian. Tu possèdes un don extrêmement puissant. Tu m'as contrainte à ne plus remuer et tu y as mis tant de volonté que même mes poumons t'ont obéi. Si je n'avais pas dessiné cette eau qui t'a distrait, je serais morte ! Tu m'entends ? Morte !

– Je ne voulais pas... je te jure que...

Le jeune garçon était catastrophé. Ses yeux s'embuèrent.

– Je sais, le rassura Ewilan, mais tu dois me promettre de ne plus jamais utiliser ce pouvoir sur un coup de tête comme tout à l'heure. Si tu n'es pas prudent, tu risques de causer de terribles malheurs.

– Je te le promets, balbutia Illian. Ewilan ?

– Oui ?

– Tu es fâchée ? Tu ne m'aimes plus ?

Elle le prit dans ses bras, le serra contre son cœur.

– Mais si, je t'aime encore. Tu m'as juste fait très peur et je n'ai pas envie que tu recommences.

– Je ne recommencerai plus jamais !

Ils rencontrèrent Bruno Vignol qui sortait de la ferme, les yeux étincelants de colère.

– Je vais faire immédiatement hospitaliser ces enfants, dit-il en apercevant Ewilan, et tout mettre en œuvre pour retrouver leurs parents. Ceux qui ont commis ce forfait vont payer, tu peux me croire !

Le tutoiement était venu seul, porté par la vague d'indignation qui le soulevait.

– Je comptais appeler un hélicoptère, toutefois Mme Boulanger m'a fait remarquer que tu serais plus rapide.

– Oui et non, répondit Ewilan. Je peux les transporter sans problème, mais uniquement dans un endroit que je connais déjà et je n'ai jamais fréquenté d'hôpital.

– Très bien. Je m'occupe de tout.

Il s'écarta de quelques mètres et saisit son téléphone portable. La conversation dura moins de cinq minutes.

– C'est réglé, annonça-t-il en revenant. L'hélicoptère sera bientôt là.

– Tu repars ? s'inquiéta Illian en attrapant le bras d'Ewilan.

Elle interrogea Bruno Vignol du regard.

– Je préférerais rentrer sans tarder, lui confirma-t-il. La situation est grave et il me faut être à Paris pour la régler au plus vite.

Ewilan s'accroupit devant Illian.

– Je dois m'en aller. Toi, tu vas rester à Ombre Blanche avec Maximilien et Martine. Je serai bientôt de retour et nous partirons à la recherche de ta famille. D'accord ?

Le jeune garçon acquiesça en silence et Ewilan lui sourit.

– À bientôt, bonhomme. N'oublie pas ta promesse...

Elle tendit la main à Bruno Vignol qui lui confia la sienne sans pouvoir retenir une grimace d'appréhension. Elle se glissa dans les Spires.

8

Maître Duom tournait en rond.

Tournait en rond et fulminait.

Vêtu d'un costume sombre de belle facture, il arpentait fiévreusement le salon de la maison que Bruno Vignol avait mise à leur disposition dans la proche banlieue parisienne, s'arrêtant parfois pour jeter un regard assassin à Ewilan. Elle était assise dans un canapé d'osier placé devant une terrasse qui s'ouvrait sur un jardin verdoyant, presque tropical tant les massifs étaient denses et colorés. L'analyste finit par se planter devant elle.

– Vraiment, je n'en reviens pas ! s'emporta-t-il. Quel manque de réflexion !

Ewilan leva les yeux de la revue qu'elle feuilletait et lui dédia un charmant sourire.

– Oui ?

– Tu découvres que l'enfant originaire d'une cité dont nous ignorions jusqu'à aujourd'hui l'existence, une cité qui se situe au-delà du désert Ourou, tu découvres que cet enfant possède un pouvoir relatif à l'utilisation des Spires, tu perçois une force extraordinaire en lui, si puissante que tu manques y laisser la vie, tu découvres tout cela et tu…

– Vous devriez respirer, lui conseilla gentiment Salim installé dans un fauteuil, ou alors faire des phrases plus courtes.

L'analyste lui décocha un regard furibond, mais poursuivit :

– … tu ne m'en informes que lorsque nous sommes loin ! J'aurais pu l'interroger, l'analyser, interpréter ses paroles, lui demander des précisions…

– Et finir de le traumatiser ! le coupa Ewilan, soudain sévère. Je suis restée quatre semaines sous l'emprise d'Éléa Ril' Morienval et il s'en est fallu de peu qu'elle ne m'anéantisse, qu'elle ne me transforme en légume ! D'après ce que j'ai compris, Illian a vécu quatre mois à l'Institution ! C'est un petit garçon qui a été enlevé à ses parents, il a peur, il a besoin d'être rassuré, cajolé, pas questionné ! Son pouvoir est énorme, effrayant même, mais je ne m'en occuperai pas tant qu'Illian ne sera pas complètement remis. Quiconque fait passer l'étude d'un don avant l'affection et la protection qu'on doit à un enfant ne vaut pas mieux que ces soi-disant scientifiques de l'Institution !

Maître Duom toussota, visiblement gêné.

– Je lui aurais témoigné beaucoup de gentillesse, tu sais…

– Je n'en doute pas. Je crois toutefois, malgré le respect que je vous porte, qu'Illian est mieux à Ombre Blanche en compagnie de Maximilien qu'entre les mains d'un analyste même animé des meilleures intentions.

Salim dut faire un effort surhumain pour ne pas éclater de rire devant la mine déconfite de maître Duom.

L'analyste plissa plusieurs fois le nez, passa la main sur son crâne chauve avant de se tourner vers la porte d'entrée.

– Que diable font-ils donc? bougonna-t-il. Ils étaient censés effectuer une petite balade pour se dégourdir les jambes et voilà deux heures qu'ils sont partis. Bruno Vignol va arriver et ils ne seront pas là pour entendre ses révélations!

Ewilan accepta de bonne grâce la diversion et, ne tenant pas particulièrement à affronter l'analyste au sujet du retard de leurs trois amis, se replongea dans la lecture de sa revue. Maître Duom reprit ses allées et venues en maugréant.

Dès son retour d'Ombre Blanche, Bruno Vignol était passé à l'action. Il s'agissait en priorité de reprendre le contrôle de l'Institution, si possible sans effusion de sang et sans publicité. Il lui fallait ensuite démanteler l'organisation qui avait fait main basse sur un centre top secret, ce qui risquait d'être plus long. Il s'intéressait particulièrement aux hommes en costume que Salim avait aperçus.

– Ce sont certainement eux qui ont fourni de faux documents à mes services, avait-il expliqué. Il faut découvrir comment ils s'y sont pris, qui ils sont vraiment et quels sont leurs buts. Nous en apprendrons davantage lorsque nous reprendrons en main l'Institution mais d'ores et déjà, je discerne dans ce complot la marque d'un mouvement extrémiste qui depuis quelques années acquiert de l'importance en France. S'il venait à maîtriser les pouvoirs mentaux qui sont l'apanage des Alaviriens, ce mouvement pourrait tenter des actions dangereuses pour la démocratie. Les miliciens que ces hommes ont utilisés, les infirmiers de l'Institution ou même les scientifiques dévoyés qu'ils ont employés ne sont que du menu fretin, sans parler des boneheads qui servent de chiens de garde. C'est à la tête que je dois frapper. Et fort !

Après discussion avec les Alaviriens, il s'était avéré probable qu'Éléa Ril' Morienval résidait ailleurs qu'à l'Institution. Sinon elle n'aurait pas manqué d'intervenir lorsqu'Ewilan avait dessiné dans l'enceinte du centre et les intrusions de Salim auraient été beaucoup plus délicates. Une phase annexe des opérations consistait justement à régler le problème de la Sentinelle félonne. Bruno Vignol comptait sur les compétences de ses prodigieux invités pour la neutraliser dès qu'elle serait localisée.

La porte s'ouvrit sur Edwin, Ellana et Siam. La marchombre avait revêtu une élégante robe noire moulante qui mettait en valeur sa silhouette élancée, tandis que Siam avait opté plus simplement pour un jean, des baskets et un débardeur blanc. Edwin portait une veste de lin claire sur une chemise de soie noire mais il aurait pu être habillé de haillons sans que cela ternisse l'impression de puissance qui se dégageait de lui. Le trio que formaient les arrivants avait dû attirer l'attention durant leur promenade... Ellana tenait le bras d'Edwin et les regards qu'ils échangeaient laissaient deviner sans peine que, si leurs vies suivaient pour l'instant des cours différents, leurs cœurs étaient profondément épris.

Le premier geste de Siam fut de saisir le sabre qu'elle avait laissé dans l'entrée. Elle le passa par-dessus son épaule et le cala dans son dos avec un ronronnement de plaisir. Ewilan, qui savait à quel point la jeune Frontalière détestait se séparer de son arme, lui adressa un clin d'œil tandis que maître Duom haussait les épaules en levant les yeux au plafond.

Avant qu'Ellana n'ait eu le temps de le rabrouer, Bruno Vignol fit son entrée.

– Le problème de l'Institution est réglé, leur annonça-t-il dès qu'ils se furent installés dans le salon. Une section spécialisée de la gendarmerie en a repris le contrôle sans effusion de sang ce matin à l'aube. Les gardes en noir font bien partie d'une milice extrémiste que nous surveillions depuis longtemps. Les chercheurs ont été arrêtés ainsi que le personnel. Bernard Boulanger a accepté de ne pas divulguer ce qu'il savait, plus par respect pour vous, je dois l'avouer, que par souci d'éviter un scandale politique. Je lui en suis tout de même reconnaissant et j'ai tenu à le lui dire avant qu'il ne reparte chez lui. Nous avons également mis la main sur un des hommes en costume décrits par Salim. À ma plus grande satisfaction, il a décidé de collaborer et nous a mis sur des pistes fort intéressantes. Une enquête a été diligentée et je ne doute pas qu'elle aboutisse très vite à une série d'interpellations.

– Et Éléa Ril' Morienval ? s'enquit Edwin.

– Aucune trace d'elle pour le moment. Elle a très bien pu retourner chez vous, auquel cas il vous appartiendra de l'appréhender. J'ai toutefois un autre problème sur lequel j'aimerais avoir votre avis. Vous m'avez parlé de ce monstre qui vient de votre monde, celui que vous, Edwin, avez tué en secourant Ewilan et Salim.

– Le Ts'lich ?

– C'est ça. Êtes-vous certain qu'il ait été seul ?

Edwin interrogea Ewilan des yeux. Elle écarta les bras en signe de perplexité.

– Les Ts'liches ont asservi mon peuple pendant des siècles, expliqua le maître d'armes. Nous n'avons réussi à les vaincre que très récemment. Cette race antique est heureusement presque éteinte. Nos spécialistes pensent qu'il ne reste plus qu'une dizaine de Ts'liches en vie. Il serait étonnant qu'ils soient tous ici, encore que... Pourquoi cette question ?

– J'ai établi un parallèle entre vos informations et une succession de crimes qui, depuis quelques mois, ensanglantent les grandes villes. Une série de meurtres, douze à l'heure actuelle, tous identiques. Une victime agressée la nuit, son corps déchiqueté avec une sauvagerie inouïe et à moitié dévoré.

Edwin n'avait pas frémi.

– Ce pourrait en effet être l'œuvre d'un Ts'lich, admit-il. Mais pourquoi envisager la présence de plusieurs de ces monstres ? À lui seul, un Ts'lich est capable de tuer douze personnes et de les dévorer en une seule nuit !

– Parce que vous avez abattu ce Ts'lich il y a quatre jours et que le dernier meurtre remonte à hier soir ! Un homme éventré dans un parking souterrain à Marseille. Enfin, on n'a découvert que les morceaux que le tueur n'a pas mangés. Vous avez paru admettre l'hypothèse selon laquelle plusieurs Ts'liches seraient chez nous...

– Oui, après réflexion, c'est possible. Ils sont incapables d'effectuer le grand pas, mais Éléa Ril' Morienval a déjà pactisé avec eux. Elle a tout à fait pu les amener ici. Les Ts'liches vivent aux dépens des peuples qu'ils assujettissent depuis des milliers d'années et il n'est pas inconcevable que Gwendalavir leur échappant, ils cherchent chez vous ce qu'ils ne trouvent plus chez nous.

– C'est-à-dire ?

– Des hommes suffisamment avides de pouvoir pour écouter ce qu'ils leur susurreront à l'oreille, des hommes capables de toutes les bassesses pour obtenir des privilèges, des hommes faciles à manipuler... et de la nourriture.

Bruno Vignol avait blêmi.

– Vous croyez que des hommes pourraient pactiser avec les monstres que vous décrivez ?

– Vos boneheads et tous vos extrémistes me semblent parfaits pour jouer ce rôle. Et puis, imaginez-vous sincèrement que les chercheurs de l'Institution, les infirmiers ou les gardes ignoraient la présence d'un monstre dans leurs murs ? Les Ts'liches sont d'effroyables tueurs passés maîtres dans l'art de circonvenir les humains et de les pousser à l'innommable. Votre monde leur convient-il ? Vous êtes le mieux placé pour en juger.

Un silence pesant s'installa dans la pièce. Bruno Vignol avait beau être habitué à gérer des situations d'une extrême complexité, le problème auquel il était cette fois confronté le dépassait. Il eut soudain une pensée jalouse pour Maximilien Fourque, pour sa vie paisible rythmée par les saisons, là-bas à Ombre Blanche, mais très vite il se reprit.

– Je ne vous cache pas que j'ai besoin de toute l'aide que vous pourrez m'apporter, déclara-t-il finalement. Je vais prendre contact avec le service chargé de l'enquête sur cette série de meurtres. Il est dirigé par un homme qui a une réputation d'efficacité : le commissaire Franchina. Je vais lui demander de nous rejoindre et... Qu'y a-t-il, Ewilan ?

– Vous avez bien dit Franchina ?

– Oui.

– Alors, il y a un petit problème...

9

Le commissaire Franchina frappa à la porte du pavillon en se demandant qui allait lui ouvrir.

Il était vingt et une heures lorsque le téléphone avait sonné chez lui, l'obligeant à se lever et à quitter son poste de télévision alors que l'équipe de France de basket affrontait celle de Croatie. Et se faisait tailler en pièces. Autant dire que lorsqu'il avait décroché, son « allô » avait été assez sec pour ne rien cacher de son irritation à l'importun.

Il avait rapidement changé de ton.

Très rapidement.

Le ministre de l'Intérieur en personne l'appelait !

Après un moment de stupéfaction durant lequel il n'avait pas suivi grand-chose des propos de son interlocuteur, le commissaire Franchina s'était ressaisi. Lorsque le ministre lui avait enjoint de se rendre à Saint-Cloud pour rencontrer de mystérieux individus auxquels il devait accorder son soutien absolu, il avait accepté sans montrer la moindre hésitation.

– Je compte sur votre discrétion, avait ajouté le ministre.

C'était évident.

La porte s'ouvrit, et le commissaire Franchina sentit son cœur s'emballer. Une femme en robe noire se tenait devant lui. Une femme à la chevelure lustrée tombant en cascade autour d'un visage merveilleux. Une femme d'une beauté presque irréelle, au corps fin et élancé, brûlant d'une énergie sauvage qui…

– Entrez, nous vous attendions.

Le commissaire sursauta, peina à reprendre ses esprits et se décida à la suivre.

Trois hommes et une jeune fille blonde se levèrent à son entrée ; le commissaire Franchina comprit que la situation était sérieuse. Il savait reconnaître le pouvoir quand il le croisait, et les trois personnages qui lui faisaient face – la fille était trop jeune pour être du nombre – rayonnaient chacun à leur manière d'une aura impressionnante. L'aura de l'autorité exercée à très haut niveau. Aucun d'eux ne daigna se présenter, ce qui ne dérangea pas le commissaire. Il aurait été surpris, gêné même, qu'ils le fassent.

D'un signe de la main, celui qui avait les yeux très pâles, un début de calvitie et un costume noir lui enjoignit de s'asseoir. Il entra immédiatement dans le vif du sujet.

– Je vous remercie d'être venu. Avant de commencer, je dois insister sur le fait que tout ce qui se dira ici relève du secret d'État. Vous n'en divulguerez rien, que ce soit à vos proches, à vos supérieurs ou à quiconque. Est-ce clair ?

Pas le genre de bonhomme avec qui on plaisantait… Le commissaire se contenta de hocher la tête, puis s'aperçut que son interlocuteur attendait une réponse. Il fut mortifié d'entendre que sa voix manquait de fermeté.

– Tout à fait clair, monsieur.

– Bien. Vous avez été saisi de l'enquête sur le tueur en série qui sévit dans plusieurs villes. Je souhaite que vous nous révéliez ce que vous savez, le mode opératoire des crimes, les indices récoltés, les pistes envisagées, tout.

– Ces meurtres sont particulièrement affreux. Je ne sais pas si…

Le commissaire désigna du menton la jeune fille blonde qui s'était nonchalamment lovée dans un fauteuil.

– Ne vous inquiétez pas pour Mlle Til' Illan. Elle est à même d'entendre ce que vous avez à nous dire.

– Bon. La première victime est un ivrogne, Christian Dauron. Il est surpris après une nuit de beuverie…

S'efforçant, de peur de perdre ses moyens, de ne pas trop détailler la jeune femme en robe longue qui s'était installée près de lui, le commissaire évoqua les crimes dans le détail, parfois interrompu par les questions précises que lui posaient les deux autres hommes, le vieux chauve et celui dont les yeux gris métal le mettaient mal à l'aise. La taille des blessures, leur profondeur, la position des corps, l'heure exacte des agressions… Lorsqu'il eut fini, le premier personnage, resté silencieux pendant son récit, reprit la parole.

– Et maintenant, quelles sont vos pistes ?

– Nous en manquons cruellement, monsieur. Nos experts sont unanimes pour affirmer qu'il s'agit d'un seul et même tueur. Toutefois il agit à l'échelle du pays, ce qui rend inopérants nos outils d'analyse habituels. Il nous reste les dépositions des deux seuls témoins que nous ayons dénichés : un jeune garçon de Lyon, Colin Labry, et un écrivain marseillais, Jean-Luc Luciano. Ils ont l'un et l'autre échappé de justesse au tueur. Leurs déclarations, si elles se recoupent sur plusieurs points, sont toutefois incohérentes. Le criminel serait très grand, avec des allures d'insecte… C'est tout ce que nous avons avec les résultats de l'analyse.

– Quelle analyse ? réagit le plus vieux des trois.

– Nous avons récupéré des anneaux métalliques entrelacés auprès du corps de l'une des victimes. Ils étaient recouverts d'une substance gluante verdâtre que nous avons envoyée au laboratoire.

– Du sang ?

– Non, pas du sang, s'étonna le commissaire, une substance verte. Nous avons reçu les résultats ce matin. Il s'agit d'eau mélangée à de la poudre de variscite, un phosphate d'aluminium assez rare que l'on ne trouve pratiquement qu'en Australie.

– Ce n'est pas ce que j'appelle une piste.

L'avis de l'homme en noir avait fusé, tranchant, presque méprisant. Le commissaire Franchina se hâta de poursuivre.

– Pratiquement, ai-je dit. Des géologues amateurs ont récemment mis à jour un gisement de variscite dans une ancienne carrière de rocaille près d'un petit village de la région nantaise. Une découverte importante pour les historiens qui ont enfin compris d'où provenaient les bijoux exhumés des tombes celtiques du coin, mais une découverte qui possède un tout autre intérêt pour nous. Il n'y a pas d'autre gisement de variscite en France ni même en Europe, le plus proche se situe en Bolivie !

– Vous pensez que le tueur se cache dans une carrière désaffectée ? Vraiment ?

De nouveau cette intonation dure, railleuse. Le commissaire avala péniblement sa salive.

– Je n'affirme rien, monsieur, mais les probabilités pour que notre homme ait sali ses vêtements avec des résidus de variscite ailleurs que dans la carrière en question sont extrêmement faibles. J'ai donc envoyé une équipe qui m'a fait son rapport tout à l'heure. Des mouvements suspects ont été remarqués près de la carrière. Un paysan aurait entendu des cris stridents, un autre aperçu des traces étranges. Rien d'exceptionnel, mais j'ai prévu de dépêcher sur place un groupe d'intervention dès demain matin, au cas où…

Il y eut un bref échange de regards, puis la voix de l'homme aux yeux gris, encore plus froide et sans âme que celle de son compagnon.

– Non !

– Euh… non ?

– Vous allez nous donner les coordonnées de ce village, les renseignements que vous avez collectés et vous oublierez tout. Il n'y aura pas d'intervention là-bas. Est-ce compris ?

– Je suppose que je n'ai pas le choix. M'en révélerez-vous davantage ?

Silence.

– Très bien, voilà ce que je sais…

10

Le commissaire Franchina referma la porte derrière lui et s'éloigna à pas lents. Il ignorait l'identité des trois hommes avec lesquels il venait de parler, il l'ignorerait sans doute toute sa vie, mais il savait que pendant près d'une heure, il avait côtoyé les hautes sphères du pouvoir. Cette entrevue aurait dû l'emplir d'étonnement, d'excitation, de fierté, il ne ressentait rien. Son esprit était totalement accaparé par la femme en robe noire.

Jamais au grand jamais, il n'avait eu l'occasion de rencontrer pareille créature. Pas même dans ses rêves. Elle dégageait une telle grâce sensuelle, un tel mélange de distinction et de sauvagerie, elle faisait preuve d'un tel aplomb, d'une telle classe… Le cœur du commissaire Franchina battait à grands coups émus dans sa poitrine, distillant un trouble délicieux qu'il n'avait plus goûté depuis l'époque de ses premiers rendez-vous amoureux. Pourtant, il ne se faisait aucune illusion. Cette femme et lui ne vivaient pas dans le même monde. Il ne la reverrait jamais et elle l'avait certainement déjà oublié.

Avec un profond soupir de mélancolie, le commissaire Franchina se retourna pour contempler une dernière fois la maison qui abritait un pareil trésor. Une fenêtre éclairée à l'étage attira son attention. Les deux visages collés contre la vitre se reculèrent vivement lorsque leurs yeux croisèrent ceux du commissaire mais il était trop tard. Il avait si souvent contemplé l'avis de recherche accroché au-dessus de son bureau quand il était encore inspecteur qu'il les reconnut instantanément : Camille Duciel et Salim Condo !

Cette découverte le frappa comme un coup de poing au creux de l'estomac. Camille et Salim ! Il avait enquêté des mois sur leur disparition, les avait retrouvés, perdus à nouveau en même temps qu'un certain Bjorn Wil' Wayard, témoin essentiel et sans doute maillon important de l'histoire ! Cette affaire avait failli briser sa carrière, l'épaisseur du dossier qu'il avait construit ne dissimulant pas la maigreur des renseignements collectés. À vrai dire, il ignorait encore aujourd'hui si la petite Duciel et le jeune Condo avaient vraiment été enlevés ou s'ils avaient fugué. Un fiasco total. Sauf que, par un de ces retournements extraordinaires que la vie invente parfois, une nouvelle chance s'offrait à lui. Les deux disparus étaient là, dans cette maison, à quelques mètres de lui !

Le commissaire Franchina tira son arme de service. Il posait les doigts sur la poignée de la porte lorsqu'il prit conscience de l'énormité de ce qu'il était en train de faire. Interpeller des hommes qui lui avaient été recommandés par le ministre de l'Intérieur en personne ! Pour le coup, sa carrière était bel et bien fichue ! Pensée en forme de douche froide.

Il s'obligea à respirer lentement. Du choix qu'il allait effectuer dépendait une bonne partie de son avenir. Entrer, arrêter tout le monde, boucler enfin cette enquête désastreuse et se placer dans les ennuis jusqu'au cou ou faire demi-tour, oublier ce qu'il avait vu, choisir la carte de la tranquillité et ne plus jamais pouvoir se regarder dans une glace sans mourir de honte ?

Étrangement, ce fut le souvenir de la femme en robe noire qui emporta le morceau. Comment pouvait-il à la fois rêver qu'il la méritait et se conduire en lâche ? Sans compter que s'il entrait, pistolet au poing, ils avaient encore un avenir commun même s'il n'était que judiciaire... Il arracha presque la porte de ses gonds dans l'énergie qu'il mit à l'ouvrir et s'engouffra dans le salon.

– On ne bouge plus !

Il avait hurlé, comptant sur l'effet de surprise pour paralyser l'assistance. Seul l'homme au costume noir daigna sursauter. Il se leva d'un bond et le fusilla de ses yeux bleu pâle.

– Commissaire, posez cette arme. Immédiatement !

Une phrase cinglante sans la moindre trace d'hésitation.

Le commissaire Franchina sentit sa résolution vaciller. Ce n'était pas là le comportement d'un kidnappeur à la conscience chargée... Il n'avait toutefois pas l'intention de se laisser démonter.

– Deux enfants se trouvent à l'étage de cette maison, lança-t-il d'une voix qu'il aurait souhaitée plus ferme. Deux enfants qui ont été enlevés et que la police recherche depuis des mois. Vous êtes tous en état d'arrestation en attendant que la lumière soit faite sur votre éventuelle participation dans cette affaire.

– Vous êtes ridicule, commissaire, l'apostropha l'homme aux yeux pâles. Certes, vous ignorez qui je suis mais vous connaissez l'identité de la personne qui vous a ordonné de venir ici ce soir, non ? Vous êtes en train de sacrifier votre carrière.

– Rien n'est moins sûr, se défendit le policier. La justice tranchera. Asseyez-vous, je vous prie !

Il y eut un mouvement à l'extrême limite de son champ de vision. La jeune fille blonde. Bon sang, comment pouvait-on se déplacer aussi vite ? Elle tendit la main vers un fourreau placé contre un mur et en tira un sabre dans un geste d'une fluidité ahurissante.

– Siam, non ! Duom, à toi !

Le commissaire Franchina pivota vers l'homme qui l'avait tant impressionné pendant leur entretien et qui venait de lancer ces ordres brefs. Il n'avait pas bougé du fauteuil dans lequel il était installé, pourtant le policier sentait au plus profond de ses fibres qu'il était le plus dangereux de l'assemblée.

Jambes écartées, épaules relâchées comme on le lui avait enseigné à l'école, le commissaire braqua sur lui sa feuille de salade. Feuille de salade ?

Un cauchemar. C'était un cauchemar. Il n'y avait pas d'autre explication à ce bête légume qui pendait mollement dans sa main à la place de son pistolet. Il allait se réveiller. Non, il devait se réveiller ! C'était un cauchemar. Sinon comment expliquer que les personnes qui lui faisaient face ne montrent pas la moindre trace de surprise devant la transformation de son arme ?

La jeune fille blonde rengaina son sabre avec une mine déçue qui fit frissonner le commissaire. Le vieux bonhomme chauve, lui, se rencogna dans son fauteuil, un sourire satisfait sur les lèvres.

Quant à l'homme aux yeux pâles, il se rassit comme si l'intrusion du policier n'avait été qu'un intermède sans importance.

– Je… Je… balbutia le commissaire Franchina.

La femme en robe noire qu'il avait jusqu'à présent soigneusement évité de regarder se leva et s'approcha de lui d'une démarche souple. Fascinante. Il sentit son cœur s'emballer.

– Je m'occupe de lui, annonça-t-elle.

– Ne bougez pas ! lança-t-il. Vous détenez des enfants prisonniers. Vous êtes en état d'a…

Il se tut.

Un murmure sortait des lèvres de la femme, un chant envoûtant qui se répandit en lui comme le plus délicieux des somnifères. Il la contempla, incapable du moindre mouvement, alors qu'elle posait la main sur son épaule. Avançait son visage vers lui. Il se perdit dans l'abîme noir de ses yeux.

Oublia tout.

– Vous êtes certaine qu'il ne se souviendra de rien ?

– Je ne le formulerais pas ainsi. Il se rappellera notre entrevue mais ce qui s'est déroulé ensuite sera pour lui pareil à un rêve. Il n'envisagera jamais qu'il puisse s'agir de la réalité.

– C'est un autre des pouvoirs alaviriens ?

– Non, Bruno, c'est le chant marchombre et vous ne vous rendez sans doute pas compte de votre chance.

– Ma chance ? reprit Bruno Vignol sans se formaliser de l'utilisation de son prénom. Ce pouvoir est certes impressionnant mais je ne pense pas être le seul à avoir entendu votre... chant.

– Non, en effet, rétorqua Ellana, un sourire ambigu aux lèvres. Toutefois ceux qui ont cet honneur, victimes ou spectateurs, n'ont habituellement pas l'occasion d'en parler. Ce ne sera pas votre cas.

– Je crains de ne pas comprendre.

– Le commissaire Franchina a été victime de mon chant. À l'heure qu'il est, il se trouve dans son lit, profondément endormi. Quand il se réveillera, il aura oublié.

– Et les spectateurs ?

– Les morts ont très mauvaise mémoire.

Bruno Vignol déglutit. Il détestait les situations qui lui échappaient comme il détestait les sous-entendus qui jouaient en sa défaveur. Ellana l'avait manipulé jusqu'à le conduire dans une impasse qui lui faisait perdre la face et donc en partie le contrôle des événements. C'était inacceptable.

Bruno Vignol aurait toutefois accepté de jouer profil bas, si la relation qui se nouait avec les Alaviriens n'avait pas été porteuse de potentialités aussi énormes. En effet, le problème de l'Institution finirait par être réglé, le temps des accords économiques viendrait très vite. Il était essentiel que le pays qu'il représentait se positionne de manière forte face à Gwendalavir. Il devait reprendre l'avantage. Il toisa la marchombre.

– Trêve de chanson. Je suppose que vous souhaitez rejoindre le village nantais dont a parlé Franchina ? Je mets un hélicoptère à votre disposition. C'est un engin volant qui nous permettra d'effectuer le trajet en moins de quatre heures. Bien sûr, le voyage risque d'être saisissant, mais vous autres Alaviriens êtes courageux, n'est-ce pas ?

Le sourire d'Ellana devint éclatant.

– Plus que vous ne croyez. Plus même que vous ne pouvez l'imaginer.

– Tiens donc ! ironisa Bruno Vignol. Ne faites-vous pas preuve de prétention en affirmant de pareilles choses ?

– À vous de voir, répondit la marchombre. La dernière fois que j'ai volé, c'était sur le dos d'un dragon. Croyez-vous sérieusement que votre hélicoptère m'impressionnera ?

11

– **V**ous êtes certains que ça va aller?

Ewilan contemplait Ellana et Salim qui fixaient sur leurs épaules de volumineux sacs à dos. La jeune marchombre avait troqué sa robe de soirée pour les vêtements de cuir noir qu'elle portait à son arrivée. Parfaitement ajustés, ils autorisaient une liberté de mouvement maximale et ne causaient aucune gêne, même en situation extrême. Salim avait enfilé un survêtement foncé qui visait cette efficience sans vraiment l'atteindre.

– Si j'oublie que je transporte sur mon dos des limaces géantes et visqueuses, répondit Ellana, tout est parfait.

Elle faisait allusion aux gommeurs qu'à leur demande, Bruno Vignol avait fait venir de l'Institution. Les répugnantes créatures enfermées dans des filets avaient été placées dans les sacs que venaient de saisir la marchombre et Salim. Elles étaient légères et inoffensives, mais Ellana supportait difficilement leur aspect gluant et les tentacules atrophiés qui leur servaient de pattes.

Il faisait encore sombre, même si le soleil n'allait pas tarder à se lever. La brume qui marque la naissance du jour dans les régions océaniques s'enroulait autour des arbres, masquait la vue et faussait les perspectives. La carrière était pourtant là, à moins de cent mètres d'eux, au pied d'un pan de colline rogné par les excavateurs. Le chemin de terre qui y conduisait, autrefois empoussiéré par un incessant va-et-vient de camions et d'engins de chantier, avait été reconquis par la nature. Les branches des arbres proches lui avaient volé sa hauteur tandis que ronces et herbes folles étaient venues à bout de l'empierrement conçu pour supporter le poids des véhicules.

Une énorme construction de béton et de tôles se dressait sur un terre-plein, témoignage de la mégalomanie d'un entrepreneur qui s'était cru maître du monde avant de faire faillite et de s'enfuir, laissant la montagne soigner ses blessures. Édifié sur un seul niveau, le bâtiment était en fait une juxtaposition de hangars, dont certains paraissaient immenses... L'exploration promettait d'être difficile.

– On y va, souffla Ellana.

Prendre une décision n'avait pas été facile.

Il avait d'abord fallu choisir qui participerait à l'opération. Bruno Vignol avait proposé les services de la section d'intervention de la gendarmerie nationale. Edwin avait haussé les épaules.

– Vous souhaitez une discrétion maximale, non ? avait-il commenté. Comment l'obtiendrez-vous lorsque vos hommes, aussi professionnels soient-ils, tomberont sur un Ts'lich ?

Bruno Vignol n'avait pas insisté.

Ils avaient ensuite mis sur pied les modalités de l'assaut. Se servir des gommeurs de l'Institution leur assurait que leurs adversaires n'utiliseraient pas l'Imagination. En revanche, cela mettait Ewilan et maître Duom hors jeu. Dilemme qui avait provoqué une longue discussion.

Le pouvoir d'Ewilan avait beau constituer une arme dont on ne se passait pas volontiers, c'était en définitive l'option qu'ils avaient préférée. Ce choix avait l'immense avantage d'interdire la fuite aux Ts'liches et à Éléa Ril' Morienval, puisque le dispositif de surveillance organisé par le commissaire Franchina avait confirmé la présence de la Sentinelle dans le bâtiment qui jouxtait la carrière.

Ellana et Salim n'avaient plus qu'à placer les gommeurs aux endroits stratégiques...

Pareils à deux fantômes, la marchombre et son élève se glissèrent entre les arbres en direction du bâtiment. Ils se faufilèrent derrière d'immenses blocs de rocher arrachés à la colline puis se séparèrent.

Ils détenaient six gommeurs. Salim était chargé d'en disposer trois contre la façade sud de la construction avant de revenir s'abriter dans la forêt. Malgré les protestations du garçon, Edwin lui avait interdit de courir le moindre risque supplémentaire. Ellana s'occupait de la façade nord puis devait crocheter la serrure de la porte afin d'ouvrir la voie à Edwin et Siam. Ils seraient donc trois à mener l'attaque.

Ewilan se rongeait les sangs mais elle ne décelait pas de faille à ce plan. Edwin était un guerrier mythique sorti vainqueur d'un affrontement simultané contre quatre Ts'liches, Siam était presque aussi redoutable que lui et Ellana était considérée comme une légende par ses pairs. Dans le pire des cas, ce bâtiment ne pouvait abriter qu'une Sentinelle réduite à l'impuissance et une poignée de Ts'liches. La victoire était assurée...

Salim revint très vite.

– Ellana est en place, chuchota-t-il.

Edwin acquiesça puis, accompagné de Siam, s'avança vers la construction. La jeune Frontalière avait tiré sa lame et se déplaçait avec les gestes fluides et précis d'un félin.

Le sabre d'Edwin était fixé entre ses épaules, à portée de sa main. Bruno Vignol avait remué ciel et terre pour trouver l'arme qu'il requérait, engageant finalement une somme faramineuse pour louer un katana japonais du XIVe siècle forgé par un maître légendaire.

Il avait été beaucoup plus facile de dénicher l'arc qu'Edwin tenait à la main et le carquois qu'il portait à la ceinture.

Edwin et Siam rejoignirent Ellana près d'une porte latérale. La marchombre l'avait déjà déverrouillée et l'entrouvrit lorsqu'elle les aperçut. Sans échanger une parole, ils se glissèrent à l'intérieur.

Ils suivirent un couloir plongé dans la pénombre, passèrent sans s'arrêter devant trois pièces vides pour atteindre enfin le cœur du bâtiment, un immense hangar que le jour naissant, filtrant au travers des tôles translucides du toit, éclairait d'une lumière tamisée. Edwin jeta un coup d'œil à l'intérieur et se figea.

Un Ts'lich était là.

Le guerrier lézard se tenait dans un coin, dressé sur une seule jambe, l'autre repliée contre sa poitrine. Enveloppé dans sa cape, ses monstrueuses lames osseuses croisées devant son thorax, le dos voûté, la tête basse, il ne bougeait pas. Les trois compagnons comprirent au même instant qu'il dormait.

Edwin fit un signe à Ellana qui, d'un hochement de tête, lui montra qu'elle avait saisi. Le maître d'armes encocha une flèche et banda son arc alors que la marchombre se coulait dans le hangar. Siam fit mine de la suivre, son frère l'arrêta d'un claquement de langue à peine audible. La Frontalière était certes souple et silencieuse, mais Ellana l'était mille fois plus. Ombre indécelable, elle parcourut la moitié de la distance qui la séparait du monstre en glissant sur le sol, aussi discrète qu'une écharpe de brume. Arrivée au milieu du hangar, elle s'arrêta. Elle répugnait à s'engager dans la flaque de lumière qui baignait le centre de la pièce. Elle jeta un coup d'œil circulaire, observa le toit, se ramassa et bondit.

Ses doigts crochetèrent une des poutrelles métalliques qui s'entrecroisaient au-dessus de sa tête. D'un mouvement impressionnant de fluidité et de force, elle se hissa dans les hauteurs du hangar. Elle reprit sa progression. Bien qu'elle fût plusieurs fois obligée de se baisser ou de bondir d'un perchoir à un autre, à aucun moment elle n'hésita ou ne trébucha.

Elle parvint très vite au-dessus de la créature. Elle tira un poignard de sa ceinture et se laissa tomber dans le vide.

Le bruit infime qu'elle fit en touchant le sol suffit à éveiller le Ts'lich. Sa tête d'insecte se redressa, ses lames blanches s'écartèrent, ses mandibules s'ouvrirent...

Déjà Ellana avait frappé.

Le fil de son arme mordit la gorge du monstre dans un mouvement irrésistible.

Edwin ouvrit les doigts.

Une flèche, rendue invisible par sa vitesse, traversa le hangar.

Se ficha dans la poitrine du Ts'lich avec un bruit mat, à l'emplacement exact de son cœur.

Une deuxième la suivit alors que le maître d'armes comprenait qu'elle était inutile. Le poignard d'Ellana avait achevé son œuvre de mort. Le Ts'lich s'effondra, un flot de sang vert jaillissant de l'affreuse blessure qui béait sous sa gueule. La marchombre accompagna sa chute jusqu'à ce qu'il repose à ses pieds, créature effroyable et effrayante au-delà même des limites de la vie.

Elle essuya sa lame tandis qu'Edwin et Siam la rejoignaient. Ils échangèrent un regard de connivence et, sans bruit, reprirent leur progression.

12

Le soleil insinuait ses premiers rayons au travers des branches, teintant le sous-bois d'une lumière ambrée pareille à celle qui avait dû baigner les origines du monde. Maître Duom était assis sur une souche face à Ewilan, adossée à un arbre, tandis que Salim effectuait des allers et retours inquiets jusqu'à la lisière proche.

– Assieds-toi, petit, finit par lui conseiller l'analyste. Tu t'épuises inutilement. Tout va bien.

– Ils sont partis depuis une demi-heure, lui rétorqua Salim. Je ne trouve pas que ce soit bon signe !

– Cela n'a rien d'inquiétant, tu te fatigues en vain, te dis-je.

– Je suis en pleine forme.

Maître Duom poussa un soupir irrité.

– Mettons que tu me fatigues moi, alors cesse de t'agiter comme un loup en cage.

L'allusion ne dérida pas Salim qui ne parut pas l'avoir entendue.

– J'aurais dû insister pour aller avec eux.

– Il n'y a rien que…

Maître Duom se tut. Une détonation venait de déchirer le silence, un coup de feu sourd qui provenait du bâtiment. Ewilan bondit sur ses pieds en étouffant un juron.

– Éléa Ril' Morienval ! s'exclama-t-elle. Elle est armée, bien sûr !

Comment avait-elle pu négliger pareille éventualité ? Cette folie allait...

– Où vas-tu ?

Maître Duom avait crié, mais Salim était déjà loin. Il se retourna une fraction de seconde.

– Les aider !

Puis il disparut derrière les arbres. Deux nouveaux coups de feu retentirent.

Maître Duom pivota vers Ewilan.

– Le fou ! ragea-t-il. Crois-tu qu'ils soient en danger ?

Elle ne répondit pas.

Son cerveau tournait à pleine vitesse, tentant de trouver une parade au désastre qui s'annonçait. Les détonations semblaient provenir d'un unique revolver, mais une telle arme suffisait à éliminer des adversaires équipés de sabres et de poignards. Elle envisagea de liquider les gommeurs pour intervenir, repoussa cette idée trop risquée puis projeta d'appeler Bruno Vignol avant de renoncer. Ses hommes n'étaient pas loin, mais le temps qu'ils se déploient, il serait trop tard. Il fallait agir dans l'instant !

– Que se passe-t-il ? insista maître Duom.

Il n'obtint pas de réponse.

Ewilan avait disparu.

Elle se matérialisa à Ombre Blanche, dans la pièce à vivre. Maximilien Fourque et Illian étaient attablés face à face, occupés à partager un sympathique petit-déjeuner. Le vieux Caussenard sursauta en l'apercevant, tandis qu'Illian laissait échapper un cri de joie et se précipitait dans ses bras. Elle le repoussa doucement, s'accroupit face à lui.

– J'ai besoin de toi, Illian...

– Tu ne vas pas... commença maître Duom.

Ewilan, tenant Illian par la main, s'éloignait déjà en direction du bâtiment. L'analyste poussa un chapelet de jurons colorés et les suivit.

– Par le sang des Figés, attendez-moi ! Ces jeunes n'ont pas une once de cervelle... Attendez-moi, vous dis-je !

Il les rejoignit devant la porte entrouverte alors qu'une nouvelle série de détonations éclatait à l'intérieur. Ewilan se tourna vers lui.

– J'entre avec Illian, lui annonça-t-elle. Il serait préférable que vous restiez dehors pour liquider les gommeurs si cela s'avérait nécessaire.

Sans tergiverser davantage, elle pénétra dans le bâtiment.

Maître Duom resta seul.

À Ombre Blanche, Ewilan avait à peine pris le temps d'expliquer à Illian ce qu'elle attendait de lui.

Bien qu'il n'ait pas compris grand-chose, il avait accepté sans hésitation de l'accompagner.

Elle avait conscience de courir un risque important, mais elle n'avait pas le choix. Illian possédait un pouvoir immense que les ondes des gommeurs n'influençaient sûrement pas. Si ce n'était pas le cas...

– Te sens-tu capable d'utiliser ta volonté? lui demanda-t-elle dans un murmure.

Il lui renvoya un regard désorienté et apeuré. Il n'avait que huit ans, elle lui demandait beaucoup... Une détonation se fit entendre pas très loin. Si Éléa Ril' Morienval tirait encore, c'est que le pire n'était pas arrivé. Ewilan accéléra.

Ils pénétrèrent dans un hangar immense et vide. À vingt mètres d'eux, le corps d'un Ts'lich baignait dans une mare verdâtre. Ils allaient devoir passer à proximité. Pourvu qu'Illian ne s'affole pas en découvrant les détails de la scène! Ewilan se penchait vers lui lorsqu'une forme immense se laissa tomber près d'eux avec un crissement à glacer le sang.

Un Ts'lich!

Perché sur les poutrelles, il avait attendu qu'ils passent à sa portée. Prédateur ultime, il n'avait plus désormais qu'à les cueillir...

En voyant le monstre aux mandibules ruisselantes de venin, Illian poussa un hurlement de terreur et se plaqua contre Ewilan. Il ferma les yeux et se mit à gémir.

Ewilan tenta de se propulser dans l'Imagination, mais les gommeurs jouaient parfaitement leur rôle. Les Spires lui demeurèrent interdites.

– Ewilan... grinça la créature. Ton sang sur mes lames... Ton agonie et celle de ce jeune humain... Quel plaisir...

– Ne t'approche pas !

– Tu me donnes des ordres ? À moi, ton maître ?

Malgré la terreur qui faisait vaciller ses jambes, Ewilan redressa fièrement la tête.

– Je n'ai pas de maître ! Et surtout pas un insecte en voie de disparition !

Le Ts'lich émit un crissement odieux.

– Nous sommes encore assez nombreux pour conquérir ce monde et prendre notre revanche. Qui pourrait nous en empêcher ? Toi, misérable larve impuissante ? Tes amis, créatures fragiles et stupides ? Ne rêve pas, les humains ne possèdent qu'une seule qualité, celle d'être comestibles...

Une lame osseuse effrayante se leva.

Ewilan s'interposait entre le monstre et Illian, geste aussi héroïque que vain, lorsqu'une silhouette sombre percuta le Ts'lich.

Le loup !

L'animal avait jeté dans l'assaut soixante kilos de muscles et de sauvagerie propulsés par une volonté meurtrière. Le Ts'lich perdit l'équilibre, des crocs redoutables déchiquetèrent la chitine de son avant-bras, se tendirent vers sa gorge alors qu'il basculait en arrière. Ewilan se prit à espérer.

C'était compter sans la rapidité du Ts'lich. Il roula sur le côté pour se dégager, se releva d'un mouvement vif et se campa sur ses jambes, lames en avant, face à ses adversaires.

Vigilant et invincible.

Le loup exhiba ses crocs et repartit à l'attaque. Cette fois-ci, le Ts'lich était sur ses gardes. Le loup ne dut qu'à ses prodigieux réflexes de ne pas être coupé en deux. Il ne put en revanche éviter une des lames qui lui ensanglanta l'épaule. Incapable d'atteindre son adversaire, il recula en boitillant.

Le Ts'lich avança sur lui.

Ewilan s'était laissée tomber à genoux et s'efforçait de convaincre Illian.

– Le loup est notre ami, le pressa-t-elle. Il faut que tu le sauves ! Il faut que tu nous sauves !

Le jeune garçon tremblait, refusait d'ouvrir les yeux.

– Illian, s'il te plaît…

Malgré l'angoisse qui la faisait vaciller, elle avait murmuré à son oreille. Illian mobilisa toute sa volonté pour réprimer ses sanglots et se forcer à respirer profondément. Il leva le visage.

Le Ts'lich, après trois attaques infructueuses, venait d'acculer le loup dans un coin du hangar. Ses lames osseuses cisaillèrent le vide à quelques millimètres de la tête de l'animal impuissant, remontèrent en un mouvement fulgurant…

– Brûle !

L'ordre avait fusé. Irrésistible.

Le Ts'lich vacilla, touché de plein fouet par une tempête invisible. Oubliant le loup, il tourna vers Illian ses yeux reptiliens aux pupilles verticales, parut hésiter puis, alors que sa carapace chitineuse se mettait à fumer, il fondit sur le garçon.

Il arriva à une vitesse hallucinante, image effrayante de la mort devenue insecte.

– Brûle !

Il était à un mètre de sa proie, levant déjà ses lames mortelles lorsqu'il s'embrasa comme une torche. Stoppé net dans son élan, il poussa un cri de douleur qui se mua en un hurlement d'agonie désespérée.

Les flammes montaient encore haut vers le toit qu'il était déjà mort, squelette calciné dégageant une odeur écœurante.

Ewilan prit Illian dans ses bras et se précipita vers le loup. Elle découvrit Salim, assis par terre, livide, tentant de contenir le sang qui s'écoulait de son épaule blessée.

– Salim… tu…

– Pas de souci, ma vieille, ce n'est qu'une coupure de rien du tout, mais je suis hors-jeu. Fonce. Les autres ont besoin de ton arme secrète.

Il perdait son sang, sa plaie aurait dû être recousue d'urgence, elle était peut-être empoisonnée par les fluides venimeux du Ts'lich… Ewilan savait tout cela.

Elle ne pouvait rien faire.

Tenant serrée la main d'Illian, elle partit en courant.

13

Ils empruntèrent un couloir et, guidés par une série de cris suraigus ponctués d'une nouvelle détonation, parvinrent à l'entrée d'un autre hangar. Ewilan perçut immédiatement la gravité de la situation. Edwin, Siam et Ellana étaient coincés derrière une immense caisse de bois, impuissants, tandis qu'à l'abri d'une concasseuse poussiéreuse, Éléa Ril' Morienval les tenait sous la menace d'un impressionnant revolver qu'elle maniait à deux mains. Près de la Sentinelle félonne se dressaient deux, non, trois Ts'liches qui sifflaient sinistrement en agitant leurs lames osseuses.

Seul l'arc d'Edwin les maintenait en respect.

L'arrivée d'Ewilan ne passa pas inaperçue. Alors qu'elle découvrait la scène, un Ts'lich se propulsa vers elle.

Edwin se leva à moitié, lâcha un trait avant de plonger au sol pour éviter une balle d'Éléa Ril' Morienval. Il n'avait pu ajuster son tir, pourtant sa flèche se ficha dans la cuisse du Ts'lich, l'obligeant à battre en retraite.

La Sentinelle pivota vers l'entrée du hangar, pointa le museau agressif de son arme sur Ewilan...

– Casse !

Avec un claquement sec, le revolver se brisa en deux. Les Ts'liches, conscients qu'il leur fallait agir très vite, se déployèrent. Edwin, Ellana et Siam surgirent de leur abri et s'élancèrent vers eux, armes à la main, tandis qu'Éléa Ril' Morienval se précipitait vers la sortie. Elle se retrouva face à Ewilan et Illian.

– La sorcière ! hurla le garçon avant de se jeter à terre et de se recroqueviller, pris dans les rets d'une terreur absolue.

Le visage de la Sentinelle irradiait une telle malveillance qu'Ewilan sentit son courage l'abandonner. Pendant des jours et des jours, elle n'avait songé qu'à la vengeance et voilà que la force puisée dans ce sentiment la fuyait par des milliers de déchirures qu'elle avait pourtant crues cicatrisées. La haine qu'elle avait pensée indestructible, qui l'avait soutenue et poussée en avant, cette haine se délitait, révélait son véritable visage : la peur ! Cette femme était le diable, lui résister était impossible, on ne pouvait que s'écarter pour lui laisser le passage. Et espérer qu'elle ne s'arrête pas...

Éléa Ril' Morienval tira un poignard de sa botte et marcha vers Ewilan.

Au centre du hangar, le combat faisait rage. Dès les premières secondes, Edwin avait pris le dessus sur le Ts'lich qu'il affrontait, le contraignant à rester sur la défensive en lui portant des coups sauvages que le monstre évitait à grand-peine.

Siam, après une brève hésitation face à l'aspect effrayant de son adversaire, le premier Ts'lich qu'elle rencontrait, s'était ressaisie. Ses réflexes de guerrière étaient trop affûtés, son corps trop entraîné pour qu'elle perde longtemps ses moyens. Ses gestes redevinrent fluides, précis, elle prit implacablement l'avantage.

Ellana, en revanche, était en mauvaise posture. Alors que les deux Frontaliers avaient pour eux la longueur de leurs sabres, la marchombre ne combattait qu'avec un poignard. Elle compensait ce désavantage par sa souplesse et sa vivacité sans vraiment parvenir à menacer le Ts'lich qui l'attaquait. Atteint à la cuisse par la flèche d'Edwin, il ne paraissait toutefois pas gêné par sa blessure. Siam poussa un cri angoissé en apercevant son amie acculée contre le concasseur.

Edwin, risquant le tout pour le tout, se glissa sous la garde de son adversaire et se précipita au secours de la marchombre. Il para in extremis un coup qui l'eût décapitée, repoussa le monstre alors que le premier revenait à l'assaut. Le combat reprit, plus acharné que jamais.

Éléa Ril' Morienval fouetta l'air avec sa lame, une lueur mauvaise dans les yeux.

– Adieu, pauvre et stupide chose ! cracha-t-elle.

Le poing d'Ewilan la cueillit à la pointe du menton.

Sous l'impact, la Sentinelle fut projetée en arrière. Elle retrouva par miracle son équilibre, secoua la tête et, avec un regard de haine pure, s'avança à nouveau.

– Je vais te tuer !

Ewilan avait peur. Illian, le seul qui aurait pu l'aider, était toujours prostré au sol, elle s'était fait mal à la main en frappant, doutait de pouvoir encore surprendre son ennemie... La situation lui échappait, mais elle n'abandonnerait pas la partie.

– Tu n'as aucune chance, railla-t-elle, tu rates toujours tout ce que tu entreprends. Tu es nulle. Définitivement nulle !

Elle tentait de pousser la Sentinelle à bout pour l'inciter à commettre une erreur.

Son stratagème ne fonctionna pas.

Éléa Ril' Morienval se contenta d'émettre un rire méprisant et reprit sa progression prudente. Elle brandissait son poignard tendu devant elle, sa pointe décrivant de petits cercles menaçants.

– Judicieux, le coup des gommeurs, persifla-t-elle. Tu as réussi à te priver de ton seul atout. Et tu vas mourir parce que tu es incapable de réfléchir plus loin que le bout de ton nez.

Ewilan recula d'un pas. Puis d'un autre. Elle se retrouva dos au mur. Elle serra les poings. Elle n'allait pas mourir sans... Elle se figea. La sensation était infime, elle aurait échappé à la plupart des dessinateurs. Pas à elle.

L'Imagination était libre !

Maître Duom avait éliminé les gommeurs.

Ewilan lut dans ses yeux que son ennemie était parvenue à la même conclusion qu'elle. Elle disposait d'une fraction de seconde pour agir avant que la Sentinelle n'effectue un pas sur le côté. Éléa Ril' Morienval avait bien trop conscience de la supériorité de sa rivale pour oser l'affronter sur le terrain du Dessin.

Ewilan se savait toutefois la plus rapide des deux. Elle la tenait enfin ! Elle se propulsa dans les Spires à l'instant précis où, à quinze mètres d'elle, Ellana poussait un cri d'effroi en se sentant perdre l'équilibre et basculer sous la lame du Ts'lich.

En un éclair, Ewilan changea de cible. Dessin devenu réalité, un pieu d'acier traversa le hangar en vrombissant, transperça le corps du Ts'lich au niveau du thorax, entraîna le monstre jusqu'au mur où il l'épingla comme l'insecte démesuré qu'il était.

Ewilan pivota, banda sa volonté...

Éléa Ril' Morienval avait disparu.

Ewilan ne s'attarda pas sur sa déconvenue. Plus tard, quand tout serait réglé...

Elle reporta son attention sur le centre de la pièce. Ellana se relevait péniblement. Elle n'était pas blessée, mais paraissait épuisée. Elle adressa un sourire reconnaissant à l'amie qui lui avait sauvé la vie. Au même moment, le sabre d'Edwin décrivit une courbe scintillante. La lame du katana trancha à moitié la tête de son adversaire. Le Ts'lich était mort avant de toucher terre.

Il n'en restait qu'un, aux prises avec une Siam déchaînée. Elle maniait son arme à une vitesse éblouissante, parant toutes les attaques du Ts'lich, maintenant une pression formidable qui l'obligeait à commettre des erreurs qu'elle sanctionnait impitoyablement.

La carapace de la créature était couverte d'estafilades dont la plupart laissaient suinter un sang vert et épais alors que la Frontalière, elle, n'avait pas reçu une blessure.

Edwin s'approcha.

– Non! s'exclama Siam. Il est à moi. C'est peut-être le dernier des Ts'liches! Il est à moi!

Comme inquiète à l'idée qu'on lui vole son plaisir, elle accéléra le rythme de ses attaques. Le Ts'lich commença à perdre pied. Ewilan se tenait à la frontière de l'Imagination, prête à intervenir s'il faisait mine d'utiliser les Spires, seul choix raisonnable qui lui restait. Pourtant, ignorant que l'Imagination était de nouveau libre ou trop écrasé par Siam pour songer à utiliser son pouvoir, il ne s'y risqua pas. Une première blessure sérieuse entama sa cuisse, une deuxième lui trancha la main gauche. Le Ts'lich bondit en arrière, abaissa ses lames osseuses.

– Je demande grâce, chuinta-t-il de sa voix inhumaine. Vous devez…

Le sabre de Siam lui ouvrit l'abdomen de la taille jusqu'au plexus solaire. Un flot de sang verdâtre jaillit, le monstre tituba, tandis que l'acier étincelant passait une dernière fois à la hauteur de sa gorge.

Le dernier des Ts'liches s'effondra.

14

– *Salim, ça va ?*

– *Au top, ma vieille ! Je suis dans les bras de maître Duom. J'aurais préféré les tiens, mais comme il soigne cette saleté de blessure, je ne peux pas faire le difficile. Où en êtes-vous ?*

– *Le combat est fini. Trois Ts'liches sur le carreau ici, plus les deux qui se trouvent près de toi. Il y a de bonnes chances qu'une race se soit éteinte sous les sabres de nos amis.*

– *Et Éléa Ril' Morienval ?*

– *Elle a réussi à s'échapper.*

– *Ça ne te contrarie pas ?*

– *Je suis surtout soulagée. Ça a failli mal tourner, tu sais ?*

– *Un peu, ma vieille ! Je te rappelle que j'ai l'épaule à moitié désarticulée et que j'ai perdu quatorze litres de sang. Au moins. Sans parler de maître Duom qui m'interdit de bouger ! Qu'est-ce que vous faites ?*

– *On arrive.*

Ewilan passa la main dans les cheveux d'Illian qui se remettait doucement de ses émotions et sourit à ses amis rassemblés autour d'elle.

– Salim va bien. Maître Duom s'occupe de sa blessure. On peut sortir si vous voulez.

Siam jeta un coup d'œil dépité sur les trois corps monstrueux étendus au milieu du hangar.

– C'était vraiment le dernier des Ts'liches ?

– Possible, estima Edwin. Probable, même. Tu sembles déçue...

– Un peu. Je découvre un nouveau jeu, il me plaît et j'apprends que je ne pourrai plus jamais y jouer. C'est injuste, non ?

Ewilan dévisagea son amie. Elle ne plaisantait pas ! Elle le pressentait depuis un moment, mais cette fois il n'y avait plus de doute possible. Les Frontaliers étaient... différents.

– On laisse celui-ci affiché contre le mur ? demanda Ellana en désignant le Ts'lich épinglé par le pieu d'acier.

– Je pense qu'on peut se le permettre, répondit Ewilan. Il tombera lorsque mon dessin disparaîtra.

– Tu es une véritable artiste, petite sœur ! remarqua la marchombre.

Ewilan sursauta. Si Ellana s'y mettait... Puis elle nota l'humour dans son regard, comprit que son amie la remerciait à sa façon.

– Pour toi, je ferais bien davantage.

Ellana lui adressa un sourire lumineux. Elles s'étaient comprises.

Bruno Vignol faisait les cent pas en se rongeant les sangs près d'une voiture banalisée garée sur le bas-côté du chemin.

Des hommes en tenue de camouflage étaient dissimulés derrière les arbres, n'attendant qu'un signal pour se déployer et passer à l'attaque. Signal que Bruno Vignol ne se décidait pas à donner.

Il avait mis le doigt dans un engrenage qui risquait de causer sa perte. Les Alaviriens dont il avait fait la connaissance avaient beau paraître, et certainement être, des hommes redoutables, ils n'en étaient pas moins mortels. Comment expliquerait-il leur présence et celle de monstres sanguinaires s'ils ne s'en sortaient pas ? S'ils ne réussissaient pas à régler le problème avec discrétion ?

Il tergiversait donc, jetant de fréquents coups d'œil sur sa montre, trouvant mille raisons de repousser le moment où il enverrait ce maudit signal.

Cinq silhouettes apparurent soudain dans la trouée du chemin, éclairées en contre-jour par le soleil qui tardait à prendre de la hauteur.

Cinq silhouettes ? Non, pas cinq, six puisqu'un enfant avançait entre deux adultes, donnant la main à l'un d'eux. Six silhouettes à la démarche assurée. Victorieuse.

Bruno Vignol se sentit envahi par une merveilleuse allégresse.

Sa joie s'assombrit quelque peu lorsque les Alaviriens furent près de lui. Les vêtements d'Edwin et de Siam dégoulinaient de taches verdâtres, l'épaule de Salim était sérieusement amochée et Ewilan semblait avoir franchi les limites de l'épuisement. Elle veillait toute-fois avec attention sur Illian qui la contemplait avec des yeux emplis d'adoration. Bruno Vignol faillit demander ce que faisait là le petit garçon mais ne s'autorisa pas cette curiosité. Il n'était pas certain d'obtenir une réponse et surtout, il avait hâte de savoir comment s'était déroulée l'opération. La pré-sence d'Illian, bien qu'étonnante, devenait accessoire.

– Alors ? s'enquit-il sans parvenir à maîtriser les tremblements de sa voix.

– C'est grave, répondit Ellana du tac au tac.

– Grave ? Que voulez-vous dire ?

– Les vêtements d'Edwin sont fichus et ceux de Siam ne valent guère mieux.

– Leurs vêtements ! s'exclama Bruno Vignol. Mais...

– Tout est réglé, intervint maître Duom. Ne vous faites pas de souci. Les Ts'liches sont morts et Éléa Ril' Morienval hors d'état de nuire.

Ellana leva les yeux au ciel.

– Ton sens de l'humour est extraordinaire, lança-t-elle à l'analyste. Il s'accorde parfaitement à ta che-velure.

Maître Duom passa la main sur son crâne chauve. Une lueur de mauvais augure traversa son regard mais Bruno Vignol ne lui laissa pas le temps de l'embraser.

– Ces monstres sont-ils vraiment anéantis ? insista-t-il. Tous ? Ne le prenez pas mal mais je ne peux m'empêcher de douter. Si je constatais cette réalité de mes propres yeux...

– Nous vous conduirons là-bas dans un moment, acquiesça Edwin. J'aimerais qu'au préalable Ewilan prenne un peu de repos et qu'un de vos médecins s'occupe de la blessure de Salim. Est-ce possible ?

Le maître d'armes avait parlé d'une voix posée, presque sans intonation, pourtant ses mots eurent un effet remarquable sur Bruno Vignol qui s'empourpra.

– Bien sûr, balbutia-t-il, je suis désolé... je... je m'occupe de tout.

Il se reprit très vite, saisit son téléphone portable et donna quelques ordres brefs avant d'entraîner les Alaviriens à l'opposé de la carrière. Une fourgonnette aux vitres teintées était garée sous un immense tilleul, non loin de la route départementale déserte qu'ils avaient empruntée quelques heures plus tôt. Un homme en blouse blanche vint à leur rencontre. Il demanda à Salim de s'asseoir et, sous le regard attentif d'Ellana, entreprit de nettoyer sa blessure. Il ne posa aucune question sur ce qui avait pu la causer, pas plus qu'il ne parut surpris par la simple tunique que Salim portait en guise de vêtements. Il lui fit une légère anesthésie avant de suturer la plaie en quelques gestes rapides et précis puis se retira discrètement.

Malgré sa fatigue, Ewilan se sentait euphorique. Éléa Ril' Morienval avait fui sans même tenter de l'affronter, admettant ainsi sa faiblesse et sa lâcheté. Cette fuite et la peur qui avait brillé dans les yeux de la Sentinelle félonne étaient un baume sur ses blessures intérieures, les seules, avec la cicatrice qui courait sur son ventre, à ne pas être encore guéries.

Maître Duom s'approcha d'elle.

– Tu as l'air bien joyeuse, jeune fille.

– Soulagée plutôt. Je vais enfin pouvoir retrouver une vie normale. Chez moi. Avec mes parents, mes amis. Le repos, la tranquillité...

– Je n'en doute pas et tu auras mérité cette tranquillité plus que quiconque. Dis-moi...

– Oui ?

– Juges-tu que je manque d'humour ?

Ewilan ne put retenir un éclat de rire. L'analyste fronça les sourcils mais, avant qu'il n'ait eu le temps de se vexer, elle déposa un baiser sonore sur sa joue.

– L'humour n'est pas la plus grande de vos qualités, avoua-t-elle avec un immense sourire. Cependant vous en avez tant d'autres que cela n'a aucune importance.

Les pommettes de maître Duom se teintèrent de rouge et il lui rendit maladroitement son baiser.

– Merci, bredouilla-t-il. Je suis sans doute une vieille bourrique bornée, néanmoins j'ai intimement conscience d'une chose : le monde sans toi n'aurait pas le même éclat ni la même saveur.

L'ironie d'Ellana était redoutable. Pourtant la marchombre qui avait entendu la réplique de maître Duom – quelque chose pouvait-il lui échapper ? – demeura étonnamment silencieuse.

Elle était, pour une fois, entièrement d'accord avec lui.

15

— **S**i tu te mets à embrasser d'autres garçons, je vais être jaloux.

Salim venait de s'asseoir près d'Ewilan adossée au tronc du tilleul. L'homme qui avait soigné son épaule lui avait recommandé l'immobilité tant que l'effet de l'anesthésique ne se serait pas dissipé et, pour une fois, le garçon n'avait pas protesté.

Ewilan ne réagissant pas à son trait d'humour, il regarda autour de lui.

Bruno Vignol aurait souhaité se rendre sur les lieux de l'affrontement pour vérifier que tout danger avait disparu, mais Edwin avait décrété que personne ne bougerait tant que Salim ne serait pas en état de se déplacer. Bruno Vignol, qui avait le pouvoir d'influer sur la destinée d'une nation entière, n'avait pas osé protester. Il discutait avec Edwin, Ellana et maître Duom tandis que Siam aiguisait son sabre sous l'œil attentif d'Illian. Bruno Vignol était un gars sympathique. Un peu rigide mais sympathique. Presque assez pour réconcilier Salim avec…

Une bourrade d'Ewilan le tira de ses pensées.

– Il y a de quoi être jaloux. Question charme, tu ne fais pas le poids !

– Hein ?

Salim pivota vers Ewilan qui lui adressa un grand sourire.

– Tu parlais du baiser que j'ai offert à maître Duom, non ? lui demanda-t-elle.

– Oui mais c'était une blague. Je ne vais quand même pas être jaloux d'un vieillard !

– Duom n'est pas un vieillard, il est dans la force de l'âge.

– Tu plaisantes ? Il a au moins cent cinquante ans, pas un cheveu sur le caillou et des articulations rouillées qui menacent de coincer dès qu'il fait trois pas.

– Moi je suis plutôt sensible à son expérience et à sa maturité. Il a une classe folle.

Salim se frappa le front des deux mains.

– Tu perds les pédales ! Maître Duom est vieux, tu entends ? En plus, il est laid comme le cul d'un Raï.

Ewilan qui, jusqu'ici, avait eu du mal à contenir son hilarité redevint sérieuse.

– On ne peut pas aimer quelqu'un de laid ? Quelqu'un de vieux ?

Salim fit la grimace. Il connaissait trop bien son amie pour ne pas s'apercevoir quand il perdait le contrôle de la situation. Elle fixait sur lui ses yeux violets, beaux à en perdre la raison, et attendait qu'il disserte sur la laideur. C'était tout bonnement impossible !

Ewilan s'aperçut de son trouble et, en douceur, entra dans l'Imagination. Elle n'avait jamais tenté ce qu'elle essayait maintenant et prit soudain conscience de la fabuleuse énergie que requérait le dessin qu'elle envisageait. Un dessin qu'elle serait incapable, malgré toute sa maîtrise de l'Art, de maintenir plus de quelques secondes.

Sous l'effet conjugué de sa volonté et de son extraordinaire pouvoir, ses traits se brouillèrent. Une multitude de rides vinrent friper son visage, ses lèvres perdirent leur arrondi, ses paupières s'alourdirent, tandis que ses cheveux devenus clairsemés prenaient la couleur de la neige. Vieille femme usée par la vie, elle tourna un regard centenaire vers Salim.

– Alors, lui demanda-t-elle d'une voix chevrotante, m'aimes-tu encore ?

Il tendit la main et caressa doucement sa joue parcheminée.

– Depuis cent ans, murmura-t-il.

Le dessin d'Ewilan disparut comme éclate une bulle de savon et elle redevint elle-même. Seuls ses yeux brillaient davantage…

– C'est de la triche, protesta-t-elle néanmoins. Tu savais que j'étais en train de dessiner !

– Pas du tout, se défendit-il. La vérité, c'est que tu as toujours été ma vieille. Alors un peu plus, un peu moins…

Ewilan éclata de rire et fit mine de lui donner un coup de poing. Salim en profita pour se serrer contre elle. Elle le repoussa et, pendant quelques minutes, ils jouèrent à se chamailler comme s'ils avaient eu l'âge d'Illian.

– Tu crois que lorsque je deviens loup, je dessine comme tu l'as fait tout à l'heure pour te vieillir? demanda Salim un peu plus tard.

– Je ne pense pas, répondit Ewilan. D'abord parce que je n'ai jamais senti que tu utilisais les Spires, ensuite parce que je serais incapable de maintenir mon dessin plus d'une minute alors que tu peux rester loup des jours entiers. Ton don a une autre origine.

– Laquelle? J'ai d'abord cru qu'il était lié au pouvoir de Merwyn mais maintenant j'en doute. La transformation est trop intime, elle prend sa source en moi, pas dans la volonté d'un autre fût-il Merwyn. Je pensais toutefois que cette capacité était indissociable de Gwendalavir et qu'il me serait impossible de devenir loup dans ce monde, or cela m'a été aussi facile que chez nous…

Chez nous! Ewilan nota l'emploi du possessif pour un univers que Salim ne connaissait que depuis quelques mois et elle s'en réjouit. Il n'avait jamais reçu de ses proches l'amour et l'attention qu'il méritait. Sa mère était morte alors qu'il était très jeune, son père l'avait abandonné à la garde d'une femme qui le détestait avec des cousins et des demi-sœurs qui le considéraient comme un étranger. Il n'avait même pas pu se réfugier chez un oncle, une tante ou des grands-parents puisque les autres membres de sa famille vivaient pour la plupart au Cameroun. Ses origines expliquaient-elles le mystère de sa métamorphose? Ewilan le lui suggéra mais Salim secoua la tête.

– Je vois mal une telle faculté se transmettre de génération en génération, même en Afrique. Ça se saurait depuis le temps, tu ne crois pas?

– On peut imaginer que cette particularité n'apparaisse que chez un individu par siècle...

– C'est tiré par les cheveux ton histoire. Et même si tu avais raison, quel est le rapport avec l'Afrique ? Il n'y a pas de loups au Cameroun !

Ewilan dut admettre la pertinence de l'argument mais elle n'avait pas l'intention de renoncer à son hypothèse.

– L'Afrique demeure un continent mystérieux. Alors qu'en Europe, plus personne ne croit aux fées depuis longtemps, je suis persuadée que ton pouvoir paraîtrait naturel à bon nombre d'Africains.

– Parce que tu connais l'Afrique, toi ?

– Non mais j'ai une proposition à te faire.

– Je t'écoute.

– Lorsque tu seras devenu un vrai marchombre, nous irons faire un tour au Cameroun tous les deux. Qu'en dis-tu ?

Salim n'avait aucune envie de se lancer à la recherche de ses racines et il était convaincu que son don n'était en rien lié à ses origines. L'idée d'un voyage en tête-à-tête avec Ewilan était toutefois trop tentante pour qu'il ne s'en empare pas.

– Fantastique, ma vieille. Je ne pourrais imaginer une aventure plus géniale !

– Sans compter que maître Duom rêve de visiter l'Afrique.

– Quoi ?

Salim avait bondi, prêt à s'insurger. La flamme joyeuse dans les yeux d'Ewilan stoppa net ses protestations qui se transformèrent en rire haut et clair.

Heureux.

16

Un peu plus tard, Bruno Vignol accompagna les Alaviriens jusqu'à la vieille carrière.

– Êtes-vous sûrs que cette femme ne reviendra pas ? s'inquiéta-t-il alors qu'ils pénétraient dans le bâtiment.

– Ewilan a retrouvé ses pouvoirs, vous pouvez donc être certain qu'Éléa Ril' Morienval se terre très loin d'ici, le rassura maître Duom. Il vous faudra toutefois demeurer prudent, guetter un éventuel retour, une nouvelle tromperie machiavélique. Elle a goûté aux compétences techniques de votre monde, il est probable qu'elle persistera à vouloir les utiliser.

– Vous parlez de son générateur ? Les scientifiques qui l'ont observé n'y ont rien compris.

– Normal, c'était un dessin. Complexe, je dois l'avouer, mais rien de plus qu'un dessin. Un moyen de reproduire la réalité de Gwendalavir pour y adapter votre technologie. En lui-même ce dessin n'a aucun intérêt. N'oublions pas que l'exportation de vos armes chez les Alaviriens n'était qu'un des objectifs d'Éléa Ril' Morienval. Elle voulait surtout accroître sa connaissance du Dessin en étudiant le fonctionnement des facultés psychiques. Et elle se trouvait au bon endroit puisque c'est ce que vous aviez prévu de faire au sein de l'Institution, n'est-ce pas?

– Oui, c'est exact, mais en aucun cas de la manière dont elle s'y est prise, se défendit Bruno Vignol. Notre travail devait être essentiellement théorique, de la recherche fondamentale, du débroussaillage scientifique en quelque sorte.

– Bien sûr, approuva maître Duom qui ne croyait pas un traître mot de ce qu'il venait d'entendre. Veillez toutefois à ce qu'Éléa Ril' Morienval n'utilise plus vos débroussailleuses. Nous ne voudrions pas la voir arriver à Al-Jeit avec des compétences inédites.

– Vous pouvez compter sur moi. Vous vous assurerez de votre côté qu'elle n'amène plus de Ts'liches chez nous?

– Je crois qu'elle aura du mal à en trouver, commenta Edwin. Ils sont tous plus ou moins dans cet état-là.

Il désignait du doigt une forme étendue dans le hangar. Une forme monstrueuse qui figea sur le visage de Bruno Vignol une grimace incrédule.

– Qu'est-ce que... est-ce vraiment... bon sang, c'est abominable! Comment avez-vous réussi à vaincre une pareille créature?

– Celle-là, je l'ai égorgée, expliqua Ellana d'une voix posée. Pour plus de sécurité, Edwin a cru bon lui envoyer deux flèches en plein cœur. Manque de confiance typiquement masculin...

– Heu... je vois... Et ça, qu'est-ce que c'est ?

– Ce qui reste du Ts'lich brûlé par Illian. Ça fait un peu désordre, mais Illian est jeune et se trouvait dans l'urgence. Grâce à lui, nous savons désormais que le Ts'lich n'est pas comestible. Impossible d'inviter des amis autour d'un barbecue et cuire un truc pareil. Ce serait une faute de goût impardonnable.

Stupéfait, Bruno Vignol dévisagea la jeune femme. Elle pencha la tête et lui sourit, comme surprise par l'intérêt qu'il lui témoignait.

– Vous... vous êtes sérieuse ? balbutia-t-il.

– Bien sûr. Le Ts'lich ne se mange pas. Du moins pas en grillade ! En pot-au-feu, peut-être... On vous montre les autres ?

Bruno Vignol acquiesça en silence, dépassé par les événements. Maître Duom lui prit le bras alors qu'ils s'enfonçaient dans le bâtiment.

– Ne vous formalisez pas, lui conseilla-t-il. Mettez les paroles d'Ellana sur le compte d'un combat acharné et pardonnez-lui son humour assez... particulier.

La scène qui l'attendait dans le second hangar tira une nouvelle grimace à Bruno Vignol. Le pieu dessiné par Ewilan n'avait pas disparu, le Ts'lich était toujours épinglé au mur tandis que ses deux compagnons gisaient au sol dans une impressionnante mare de liquide vert.

– Celui-ci, c'est le mien, lui indiqua Siam. Vous savez, Ellana et moi avons de quoi être fières. Nous entrons aujourd'hui dans le club très fermé des tueurs de Ts'liches ! Pendant des siècles, ces bestioles ont occupé la place de super-prédateurs et on peut compter sur les doigts d'une main le nombre d'Alaviriens qui les ont transformés en trophées de chasse.

– Je vois… J'avoue que je suis davantage préoccupé par les corps de ces cinq monstres. Que vais-je en faire ?

– Tu peux les brûler, intervint Illian, chez nous c'est ce qu'on fait des khazargantes qui périssent en se précipitant sur les murs des cités de sable.

– Des quoi ? releva Salim.

– Pourrais-tu les faire brûler pour qu'il n'en reste rien ? s'interposa maître Duom soudain très attentif. Ce serait parfait pour nous en débarrasser.

Ewilan comprit qu'il désirait surtout assister à une démonstration du pouvoir d'Illian. Il y avait de nombreux moyens de faire disparaître ces cadavres et une crémation organisée par un enfant n'était sans doute pas le meilleur. Notant la joie que les paroles de l'analyste avaient dessinée sur le visage d'Illian, elle s'abstint toutefois de donner son avis.

– Facile ! s'exclama le jeune garçon. Il suffit de les entasser.

Chacun s'y employa et, bientôt, Illian se planta devant les corps des cinq Ts'liches empilés au centre du hangar.

– Brûle ! ordonna-t-il d'une voix forte.

Maître Duom l'observait avec attention. En analyste de talent, il discerna le pouvoir qui jaillit d'Illian et en perçut la redoutable efficacité. Son propre Don était cependant trop limité pour qu'il saisisse l'entière portée de ce qu'il voyait. Médusé, il n'en retint que la puissance et la nouveauté. Ce ne fut pas le cas d'Ewilan. Elle se doutait que le pouvoir d'Illian était une aberration. Elle comprit soudain à quel point elle avait raison.

Illian entra dans l'Imagination en utilisant une seule des trois forces qui en ouvraient normalement l'accès. Pas de Créativité chez lui, ni de véritable Pouvoir, mais une Volonté qui agit comme un bélier et éventra la réalité. Illian, loin d'œuvrer en dessinateur, se comportait en véritable éventreur ! Il ignora les Spires et l'infinité de possibles qu'elles recelaient, fonça tout droit en piétinant des merveilles jusqu'à ce qu'il atteigne son but, destructeur, brutal et sans âme.

Les cadavres des Ts'liches s'embrasèrent tout à coup, une chaleur intense obligea les spectateurs à reculer précipitamment. Seule Ewilan resta immobile, plongée dans ses pensées, calculant les retombées de sa découverte.

Malgré son affection pour Illian, elle ne parvenait pas à le considérer autrement que comme un barbare. Sa façon de violer l'Imagination au lieu de la caresser, d'exiger plutôt que de créer, la brutalité de son Don, liée à des ordres intraitables, tout la confortait dans sa vision d'un pouvoir dévoyé.

Brûle... Tombe... Casse... Meurs !

Pouvait-on soigner avec des verbes ?

Aimer ?

Illian poussa un petit cri de joie lorsque les flammes, attisées par sa volonté surhumaine, léchèrent les poutrelles du toit. Malgré la chaleur, Ewilan frissonna.

Elle savait qu'elle se battrait pour aider Illian à retrouver sa famille, à surmonter le traumatisme causé par son emprisonnement. Sans compter qu'il leur avait sauvé la vie! Illian était un garçon gentil, intelligent, attachant.

Pourquoi alors ce frisson prémonitoire?

Cette... peur?

17

Bruno Vignol ne souhaitait pas que ses relations avec les Alaviriens soient entachées par un sentiment de tromperie. En sortant de la carrière, il leur expliqua donc que sa position au sein du gouvernement et son sens du devoir excluaient qu'il garde secrets les événements récents. Il ne tairait pas non plus l'existence d'un monde parallèle. Il leur assura en revanche que ces informations seraient confiées à un nombre très restreint de personnes dont il répondait personnellement.

Edwin aurait préféré que rien ne filtre de l'existence de Gwendalavir, mais il comprenait la situation de Bruno Vignol qui ne lui laissait de toute façon pas le choix.

– Vous prenez des risques, remarqua-t-il. Ne craignez-vous pas de passer pour un fabulateur, de perdre votre réputation, votre crédit ?

– Oui, bien sûr, admit Bruno Vignol, c'est d'ailleurs pour cette raison que je désire vous emmener à Paris. Je vous présenterai à…

– Il n'en est pas question, le coupa gentiment mais fermement Edwin.

– Écoutez-moi avant de prendre une décision…

– Non, écoutez-moi, vous ! Nos chemins se sont croisés et nous avons parcouru un bout de route ensemble, au bénéfice de tous puisque nous partagions les mêmes problèmes. Ces problèmes sont résolus, du moins en partie et, désormais, nos intérêts divergent. L'heure est venue de nous séparer. Vous suivre à Paris serait une grave erreur, nous ne la commettrons pas.

– Partagez-vous cette opinion ? demanda Bruno Vignol à Duom Nil' Erg.

– Bien sûr, acquiesça l'analyste. Nos deux mondes établiront peut-être un jour des relations suivies, mais il ne nous appartient pas d'en décider. Ce n'est en outre ni le lieu ni le moment d'en parler.

Bruno Vignol, pendant une folle seconde, envisagea de les retenir de force. Il pouvait leur tendre un piège, les menacer, recourir aux forces spéciales… Puis son regard jaugea la stature du maître d'armes et son visage calme, glissa sur les silhouettes fines d'Ellana et de Siam, maître Duom, Salim, Ewilan…

Bruno Vignol renonça à son projet. Il s'estimait indigne d'une telle bassesse…

… et savait pertinemment que les forces spéciales étaient incapables de mener cette mission à bien.

– D'accord, capitula-t-il. Je passerai donc pour un fou et j'attendrai que vous reveniez vers moi. Puisque tout est dit, acceptez-vous que nous partagions un dernier repas ?

– C'est que… commença maître Duom.

– Volontiers ! s'exclama Salim. Maintenant qu'Illian a fait brûler les Ts'liches, il va falloir qu'on trouve autre chose à manger !

Un éclat de rire général balaya la tension qui s'était installée entre Bruno Vignol et les Alaviriens. Lorsqu'il se fut éteint, Ewilan prit la parole d'une voix douce :

– J'aimerais d'abord que nous allions voir Maniel.

18

Nicole Deluze, chargée de l'accueil à la clinique du Vallon, écarquilla les yeux avant de réajuster sa blouse et de se lever précipitamment. Elle avait beau croiser dans les couloirs de cet établissement haut de gamme des milliardaires prodigues et des célébrités médiatiques, aucun n'avait la prestance du couple qui venait d'entrer.

L'homme, bien bâti, vêtu d'un costume gris assorti à la couleur de ses yeux, tenait le bras d'une beauté en robe noire aux cheveux de jais et au corps de liane. Leur physique ne suffisait toutefois pas à expliquer l'impression qu'ils dégageaient. Un mélange de grâce, de puissance, d'harmonie... L'image de la perfection que depuis des années elle s'efforçait d'atteindre et de faire comprendre à son mari !

Pétrifiée, Nicole Deluze en oublia de noter la présence des cinq personnes qui les accompagnaient. Le couple passa devant elle sans s'arrêter, avec un simple sourire qui la fit fondre. Elle aurait dû leur demander où ils allaient, leur donner les horaires des visites, elle se contenta de les regarder s'éloigner...

Maniel reposait sur un lit dans une chambre claire. Sa respiration était régulière, ses blessures refermées, sa peau moins parcheminée, pourtant il ne bougea pas lorsqu'Ewilan se pencha sur lui et il garda les yeux clos.

– Maniel, souffla-t-elle, je suis là.

Le géant fracassé ne broncha pas. Ewilan s'assit près de lui et saisit une de ses mains entre les siennes.

– Tout s'arrange, Maniel. Éléa Ril' Morienval s'est enfuie, les Ts'liches sont morts, l'Institution reprise en main. Du bon boulot. Qui a pu être réalisé grâce à toi. Les docteurs disent que ton état s'améliore, ton corps va beaucoup mieux mais selon eux, ton esprit est abîmé. J'ai peur qu'ils ne comprennent pas grand-chose aux hommes-liges. Alors nous allons modifier leur programme. Je pense être bientôt capable de rentrer à Al-Jeit. Dès que je serai là-bas, je te préparerai une chambre à la maison, je ferai appel à un rêveur et je reviendrai te chercher. Voilà, c'est tout ce que je voulais te dire. Enfin non, ce n'est pas tout. Tu es le plus merveilleux des hommes-liges, Maniel, et tu me manques. Énormément.

Ewilan se leva, essuya machinalement une larme qui avait roulé sur sa joue et laissa la place à ses amis. Un à un, sans la moindre gêne, avec des mots simples, ils vinrent dire leur amitié à Maniel. Le dernier, Illian, s'approcha. Il contempla longuement l'homme-lige toujours immobile.

– Au revoir, monsieur le géant, murmura-t-il.

– Tu peux à nouveau effectuer le grand pas ? demanda Salim lorsqu'ils furent sortis.

– Oui, je crois. C'est comme si j'avais dû attendre que tout soit réglé ici pour achever ma guérison.

– Alors nous rentrons à la maison ?

– Dès que la dernière page sera tournée.

Maximilien Fourque ne parut pas surpris de les voir arriver à Ombre Blanche.

– Il n'y a plus de vin de noix, leur annonça-t-il simplement. J'ai fini la dernière bouteille avec Martine avant qu'elle ne rentre chez elle. Tout s'est passé comme vous vouliez ?

– Sans problème, comme d'hab', répondit Salim.

Le vieux Caussenard sourit en l'observant, mais ce fut à Ewilan qu'il s'adressa.

– Je vois qu'un des petits est resté avec toi. Comment vont les autres ?

– Ils ont été soignés et Bruno Vignol a retrouvé leurs parents.

– Que vont-ils devenir maintenant que ce Bruno Vignol connaît leurs talents cachés ?

– Il a proposé l'assistance de spécialistes pour les aider à comprendre et à maîtriser leurs pouvoirs. Il s'est également engagé à ne rien leur demander en échange. Je crois que tout le monde est satisfait.

– Et vous ?

– Je peux à nouveau passer d'un monde à l'autre, nous retournons en Gwendalavir. Nous sommes restés absents longtemps, vous savez, et nous avons beaucoup de choses à faire chez nous, à commencer par soigner Maniel et chercher les parents d'Illian.

Elle hésita une seconde puis poursuivit :

– Ce n'est pas tout. J'ai perdu mes parents une deuxième fois lorsqu'ils sont partis au-delà de la mer des Brumes. Ils me manquent, Maximilien, et j'ai hâte de les rejoindre même si je crains qu'Éléa Ril' Morienval fasse tout pour m'en empêcher. Elle m'a déjà fait tant de mal.

Un sourire inattendu naquit sur ses lèvres, y effaçant la tristesse que son ultime phrase avait dessinée.

– Sans compter les études que je dois reprendre si je veux réussir les examens dont maître Duom me rabâche les oreilles. Edwin, Ellana et les autres sont aussi pressés que moi de rentrer, nous sommes juste passés par Ombre Blanche pour vous saluer une dernière fois.

Maximilien se frotta pensivement la barbe.

– Une dernière fois... Pour sûr, ton pays est loin et je ne suis plus tout jeune... Camille, je veux dire Ewilan ?

– Oui ?

– Tu te souviens de cette bouteille que tu avais fait apparaître et que j'avais refusée ?

– Bien sûr.

– J'aimerais que tu retournes la chercher avec quelques-unes de ses copines. Ce doit être possible, non ?

– Comment va ton épaule ?

– Un peu engourdie, mais pas douloureuse. Je suis tiré d'affaire, tu n'auras pas à t'occuper d'un manchot !

Salim et Ewilan avaient quitté la fête improvisée qui se déroulait entre les murs d'Ombre Blanche. Ewilan arguant d'un mal de tête qui nécessitait qu'elle prenne l'air, Salim parce qu'il n'envisageait pas de rester à un endroit alors qu'Ewilan s'en éloignait. Ils étaient assis dans l'herbe rase, sous une myriade d'étoiles qui donnaient envie de lever la main pour les cueillir.

– Et ton mal de tête ?

Ewilan passa la main dans ses mèches folles, planta ses yeux dans ceux de Salim.

– Bidon. J'avais besoin de me retrouver seule avec toi.

– Tu as menti à maître Duom ? fit mine de s'inquiéter Salim, sans réussir à dissimuler l'émotion causée par les mots d'Ewilan. C'est très mal, tu sais ! Je crois que…

– Chut…

Elle avait posé un doigt sur les lèvres de Salim. Il sentit son cœur s'emballer, sa gorge se nouer.

– Je suis un peu en miettes, lui confia-t-elle dans un murmure. Je fais des cauchemars, le jour, la nuit, et j'en ferai encore longtemps. Mais si tu n'avais pas été là, si tu n'étais pas là, maintenant, près de moi, je ne serais plus qu'un désert stérile, une ruine sans cœur. Tu m'as sauvée, Salim, je…

– Tu m'as déjà remercié, tu sais.

– … je n'arrive pas à trouver les mots pour décrire ce que je ressens. Nos vies sont entremêlées, nos passés, notre avenir… Je suis liée à toi par un sentiment plus fort que les tempêtes, plus profond que le plus profond des océans et, comme une idiote, je ne parviens pas à te le dire, ou alors une seule fois, quand…

310

– Je m'en souviens, ma vieille. Tes premiers mots à Ombre Blanche… Ils sont gravés en moi à tout jamais.

– Je ne parviens pas à les répéter, Salim. Je les pense encore plus fort qu'avant si cela était possible, mais je ne parviens pas à les répéter. Pourtant, je voudrais tellement que tu saches… que tu comprennes…

Les yeux d'Ewilan s'embuèrent. Salim posa les mains sur ses épaules, approcha son visage jusqu'à la toucher.

– Je comprends, chuchota-t-il. Je suis là et je serai toujours là parce qu'il m'est impossible d'être ailleurs que près de toi. Et je vais te dire les mots. Ces mots qui refusent de sortir de toi et que, moi, j'ai tant de mal à garder enfermés. Je t'aime, Ewilan. Plus que la vie, plus que l'amour, plus que tout. Je t'aime.

Une larme naquit dans un univers violet, roula sur le velours d'une joue, porteuse d'un bonheur sans limite alors qu'un sourire émerveillé illuminait le visage d'Ewilan. Salim sentit quelque chose mourir en lui.

Ou peut-être éclore…

GLOSSAIRE

Akiro Gil' Sayan
Nom alavirien de Mathieu Boulanger. Élevé jusqu'à dix-huit ans par la famille Boulanger, il s'est joint à sa sœur Ewilan pour délivrer leurs parents.

Alaviriens
Habitants de Gwendalavir.

Altan Gil' Sayan
Une des Sentinelles les plus puissantes de Gwendalavir. Il est le père d'Ewilan et d'Akiro.

Artis Valpierre
Rêveur de la confrérie d'Ondiane, Artis est un homme d'une timidité maladive, peu habitué à côtoyer des non-rêveurs. Comme tous ceux de sa guilde, il possède le don de guérison.

Bernard Boulanger
Journaliste réputé. Père adoptif de Mathieu.

Bjorn Wil' Wayard
Bjorn a passé l'essentiel de sa vie à chercher les quêtes épiques et à éviter les questions embarrassantes. Cela ne l'empêche pas d'être un chevalier, certes fanfaron, mais également noble et généreux. Expert de la hache de combat et des festins bien arrosés, c'est un ami sans faille d'Ewilan et Salim.

Bruno Vignol

Personnage cultivant le secret, Bruno Vignol possède un très grand pouvoir politique et de nombreux appuis.

Camille Duciel

Voir Ewilan Gil' Sayan.

Commissaire Franchina

Commissaire de police parisien, chargé de l'enquête sur la disparition de Camille et Salim.

Duom Nil' Erg

Analyste célèbre pour son talent et son caractère épineux, Duom Nil' Erg a testé des générations de dessinateurs, définissant la puissance de leur don et leur permettant de l'utiliser au mieux. Ses capacités de réflexion et sa finesse d'esprit ont souvent influencé la politique de l'Empire.

Edwin Til' Illan

Un des rares Alaviriens à être, de son vivant, entré dans le grand livre des légendes, Edwin Til' Illan est considéré comme le guerrier absolu. Maître d'armes de l'Empereur, général des armées alaviriennes, commandant de la Légion Noire, il cumule les titres et les prouesses tout en restant un personnage très secret.

Éléa Ril' Morienval

Cette Sentinelle, aussi puissante qu'Élicia et Altan Gil' Sayan, est un personnage ténébreux. Son ambition et sa soif de pouvoir sont démesurées. Son absence de règles morales fait d'elle une redoutable adversaire.

Élicia Gil' Sayan

Élicia est la mère d'Ewilan. Sa beauté et son intelligence ont failli faire d'elle l'impératrice de Gwendalavir, mais elle a choisi Altan.

Ellana Caldin

Jeune marchombre rebelle et indépendante. Au sein de sa guilde, Ellana est considérée comme un prodige marchant sur les traces d'Ellundril Chariakin, la mythique marchombre. Elle a toutefois conservé une fraîcheur d'âme qui la démarque des siens.

Ewilan Gil' Sayan

Nom alavirien de Camille Duciel. Surdouée, Camille a de grands yeux violets et une forte personnalité. Elle est la fille d'Altan et Élicia Gil' Sayan, et possède le Don du Dessin dans sa plénitude. Elle a sauvé l'Empire de la menace ts'liche.

Gommeurs

Arthrobatraciens ressemblant au croisement d'un crapaud et d'une limace. Ils sont utilisés pour leur capacité à bloquer l'accès à l'Imagination.

Gwendalavir

Principal empire humain sur le deuxième monde et dont la capitale est Al-Jeit.

Holts Kil' Muirt

Sentinelle alavirienne et compagnon d'Éléa Ril' Morienval, il a été vaincu en combat singulier par Ewilan.

Illian
Jeune garçon sauvé de l'Institution par Ewilan et Salim. Illian possède un étonnant pouvoir proche de l'Art du Dessin.

Institution
Centre de recherche secret qui se dresse au cœur de la forêt de Malaverse.

Maniel
Ancien soldat de l'Empire sous les ordres de Saï Hil' Muran, seigneur de la cité d'Al-Vor, Maniel est un colosse au caractère doux et sociable qui a aidé Ewilan à sauver l'Empire. Il est entré au service de la famille Gil' Sayan comme homme-lige.

Marchombres
Les marchombres ont développé d'étonnantes capacités physiques basées essentiellement sur la souplesse et la rapidité. Ils partagent une même passion de la liberté et rejettent toute autorité même si le code de conduite de leur guilde est très rigoureux.

Martine Boulanger
Mère adoptive de Mathieu.

Mathieu Boulanger
Voir Akiro Gil' Sayan.

Maximilien Fourque
Vieux et sage berger. Maximilien vit à Ombre Blanche, une ferme isolée sur les Causses en seule compagnie de ses chèvres.

Merwyn Ril' Avalon

Le plus célèbre des dessinateurs. Merwyn vécut il y a quinze siècles et mit fin à l'Âge de Mort en détruisant le premier verrou ts'lich dans l'Imagination. Il est au cœur de nombreuses légendes alaviriennes.

Raïs

Race non humaine, manipulée par les Ts'liches, ennemie jurée de l'Empire. Les Raïs peuplent un immense royaume au nord de Gwendalavir. Connus pour leur bêtise, leur malveillance et leur sauvagerie.

Rêveurs

Les rêveurs vivent en confréries masculines et possèdent un Art de la guérison dérivé du dessin qui peut accomplir des miracles.

Salim Condo

Ami d'Ewilan (et amoureux d'elle…), Salim, d'origine camerounaise, est un garçon joyeux, doté d'une vitalité exubérante. Il est prêt à suivre Ewilan jusqu'au bout du monde. Ou d'un autre…

Siam Til' Illan

Jeune Frontalière, sœur d'Edwin, Siam est une guerrière accomplie dont le joli minois cache une redoutable efficacité au sabre et une absence totale de peur lors des combats.

Sil' Afian

Empereur de Gwendalavir, Sil' Afian est également un ami d'Edwin et des parents d'Ewilan. Son palais se dresse à Al-Jeit, capitale de l'Empire.

Ts'liches

« L'ennemi ! » Race non humaine ne comportant plus que quelques membres. Des créatures effroyablement maléfiques.

L'AUTEUR

Pierre Bottero est né en 1964. Il habite en Provence avec sa femme et ses deux filles et, pendant longtemps, il a exercé le métier d'instituteur. Grand amateur de littérature fantastique, convaincu du pouvoir de l'Imagination et des Mots, il a toujours rêvé d'univers différents, de dragons et de magie.

« Enfant, je rêvais d'étourdissantes aventures fourmillantes de dangers mais je n'arrivais pas à trouver la porte d'entrée vers un monde parallèle ! J'ai fini par me convaincre qu'elle n'existait pas. J'ai grandi, vieilli, et je me suis contenté d'un monde classique... jusqu'au jour où j'ai commencé à écrire des romans. Un parfum d'aventure s'est alors glissé dans ma vie. De drôles de couleurs, d'étonnantes créatures, des villes étranges...

J'avais trouvé la porte. »

L'ILLUSTRATEUR

Après les Arts décoratifs et une licence à la Faculté d'art de Strasbourg, Jean-Louis Thouard collabore avec de nombreux éditeurs. Il utilise à son gré la plume et le pinceau pour raconter et illustrer des histoires, sous forme d'albums, de romans, de bandes dessinées ou de dessins de presse.

Jean-Louis Thouard vit près de Dijon.

Pour en savoir plus, découvrez son site :

www.lebaron-rouge.com

LA QUÊTE D'EWILAN

La première trilogie :

1. D'UN MONDE À L'AUTRE
2. LES FRONTIÈRES DE GLACE
3. L'ÎLE DU DESTIN

LES MONDES D'EWILAN

La deuxième trilogie :

1. LA FORÊT DES CAPTIFS
2. L'ŒIL D'OTOLEP
3. LES TENTACULES DU MAL

LE PACTE DES MARCHOMBRES

La troisième trilogie :

1. ELLANA
2. ELLANA, L'ENVOL
3. ELLANA, LA PROPHÉTIE

Achevé d'imprimer en France en août 2008
par CPI - Hérissey à Évreux.
Dépôt légal : septembre 2008
N° d'édition : 4790 - 05
N° d'impression : 108996